Lettres parisiennes

NANCY
HUSTON

LEILA
SEBBAR

Lettres parisiennes

Histoires d'exil

DOCUMENT

Deux femmes s'écrivent. De Paris à Paris.

L'une est née au Canada anglais, l'autre dans l'Algérie française. Elles quittent le pays natal vers vingt ans pour la France, la langue et l'université françaises, Paris. Pour l'une c'est une rupture radicale, pour l'autre c'est à peine un déplacement géographique... jusqu'au moment où elles se demandent si elles sont en exil, dix ou quinze années plus tard. La première dit que non, la seconde dit que oui. Alors, elles s'écrivent. Décident de s'écrire des lettres sur l'exil.

Elles habitent la même ville, Paris, et se connaissent depuis bientôt dix ans. Elles se voient pour travailler avec d'autres femmes. Elles pourraient se voir plus souvent mais ne le font pas. Si elles se téléphonent, ce n'est pas pour bavarder... c'est rapide, efficace.

La première fois, elles se sont rencontrées dans une brasserie, à cause des petites filles..., pour un travail collectif sur l'éducation des filles — et presque aussitôt, elles ont fait un journal avec des femmes : *Histoires d'elles* de 1977 à 1980. Trois années particulières, dans un élan unique. En marge, elles aimaient la marge, un autre exil, joyeux et subversif. Elles ont écrit dans *Sorcières*, une revue de femmes, littéraire et singulière, *Les Cahiers du GRIF*, une revue de recherches féministes, chacune reconnaissant à l'autre sa voix, sa gravité, ses travers. Elles ont écrit et publié ailleurs, parallèlement, des essais, des récits, des romans.

Proches et à distance.

Un jour de l'année 1983, après les difficultés et les

désarrois du mouvement des femmes, elles veulent s'écrire, se parler de l'exil. Pour la première fois, elles se parlent d'elles, seule à seule, par lettres, sachant bien que cette correspondance ne sera pas secrète et que d'autres la liront: dans l'histoire d'une vie il est toujours question de l'exil, réel ou imaginaire.

Deux femmes s'écrivent parce que raconter, autopsier l'exil, c'est parler d'enfance et d'amour, de livres, de vie quotidienne, mais aussi de la langue, de la terre, de l'âme...

Lettre I

Paris, le 11 mai 1983

Nancy,

Voici pour moi, et sans que je l'aie cherché ni provoqué, comme de soi-même, le signe tangible, concret, matériellement voluptueux de l'exil. Ce papier gaufré, qui ressemble au Nylon cloqué des chemisiers que portaient nos mères dans les années cinquante, j'ai cru qu'il boirait toute l'encre et m'empêcherait de t'écrire. Chaque fois que je suis dans un lieu public, le papier me manque. J'aime écrire dans les cafés, les brasseries, surtout aux heures vides de la matinée et de l'après-midi quand les garçons traînent ou se reposent. Je demande du papier. Si c'est une grande brasserie, on me donne du papier à en-tête sur lequel j'écris forcément une lettre d'amour et de connivence, toujours à la même personne qui l'égare quelques jours après — et je la reconnais justement à l'en-tête... Je la ramasse et je la mets dans un cahier d'écolier à couverture rouge qui me sert de journal intime; mais ces temps derniers je m'aperçois que je bourre ce cahier de papiers de toutes sortes sans rien y écrire et cela dure depuis bientôt six mois... Je te reparlerai du journal intime... Donc si je n'obtiens pas de papier du garçon, c'est un morceau de nappe, des papierssucre, le dos de la note, qui ne suffisent jamais. Si la patronne l'autorise, j'ai droit, comme aujourd'hui, à un papier dentelé, neuf, à motif floral en relief : de toutes petites pâquerettes avec un cœur au rond agressif. Le garçon, sceptique, me tend la nappe pliée en deux, la patronne s'étonne, qu'est-ce que la cliente va en faire ? Est-ce qu'elle récupère pour chez elle ? Et moi je me précipite — pour ne pas laisser au garçon le temps de commentaires qui vont me perturber — sur le papier qui boit finalement et je ne peux écrire recto verso. Ces papiers multiples, tous formats, toutes qualités, écrits dans tous les sens, souvent déjà utilisés, j'en ai partout, tout le temps, et j'aime en retrouver un, au hasard, le relire, pensant — il faut que je le garde… Il rejoindra, en attendant un emploi improbable, les autres bouts informes, n'importe où. Je crois que la mobilité de l'exil, je la retrouve aussi là, dans ces papiers instables, fébriles, empruntés dans le désordre aux lieux qui me retiennent dans une ville. J'oubliais de dire que ce qui n'est jamais la feuille lisse, conventionnelle du bloc de papier à lettres ou de la rame de papier à écrire, c'est aussi, si j'ai un journal, un coin avec un peu de blanc, une bande latérale ou un espace vide dans un surtitre de première page. Si je n'ai vraiment rien, le dernier recours, peut-être aussi pour toi, c'est le sac… le sac à main. Un examen rigoureux de nos sacs à main révélerait je pense deux ou trois choses de ce que je ne peux nommer autrement que l'exil. Si j'étais sur ma terre natale, terre de naissance, de renaissance, je n'aurais pas le même sac ni les mêmes choses dedans. On pourrait le croire plein à craquer, le sac de quelqu'un toujours prêt à partir, rempli pour un exode possible à tout instant, une déportation le fusil dans le dos, un départ à l'improviste… Mais non, je n'aime pas partir, de cela aussi je reparlerai… Dans mon sac j'ai un passeport, la seule pièce d'identité que je possède, je n'ai pas de carte d'identité, ni d'autres papiers faisant foi. J'ai des adresses éparpillées entre les pages du passeport, dans la poche intérieure, dans la poche centrale, de personnes que je rencontre et que souvent je ne revois pas, des enveloppes et des timbres, et puis, bien sûr, des papiers écrits en tous sens, froissés, illisibles, déchirés par des pliures anciennes ; un calendrier qui ne me sert jamais ; des tickets de train, de petits cartons rectangulaires, rigides, rosés, que je garde au hasard des voyages. J'aime les retrouver quand je fouille mon sac et les regarder, très attentivement, lire les informations imprimées en noir ou en rouge sur un espace si étroit... Je suis toujours frappée par la quantité de renseignements indiqués... le prix, le tarif, le nom de la gare de départ, le lieu d'arrivée — en gros au milieu —, la classe, la validité, le nombre de kilomètres et des chiffres que je ne sais pas décoder, destinés sûrement au contrôleur... J'ai ainsi Le Mans, Rouen, Lille, Marseille, Lyon, Strasbourg..., Meudon. Je n'aime pas voyager, mais j'aime les gares, les ports, les aéroports..., ces lieux de circulation, de passage, où je peux comme dans une brasserie rester des heures sans projet, sans avoir à partir ou à revenir. Je regarde, j'écoute ou non, on ne me demandera rien et je ne me demanderai pas non plus pourquoi je suis là. Je m'incruste dans ces lieux publics, anonymes, où les codes en vigueur ne m'angoissent pas comme ceux des lieux mondains parisiens où je m'ennuie..., sauf si, par un renversement pervers, je me mets en position de passagère, à la lisière, comme sur le banc d'une gare. Je n'ai pas, après tant d'années, réussi à acquérir la souplesse, l'intelligence qui me permettraient la pratique efficace d'un certain nombre de codes sociaux, culturels, mondains que je connais et qui me précipitent chaque fois dans un mutisme obstiné et stupide. Souvent, j'ai été frappée chez toi par cette capacité que tu as, je l'ai remarquée chez d'autres femmes en exil, celles qu'on appelait les « Migrantes » à *Histoires d'elles*, tu te rappelles, d'assimiler et d'utiliser les codes les plus complexes, sans s'y conformer totalement, sans servilité. Peut-être la différence tient au fait que ces femmes, dont tu fais partie à mes yeux, ont été policées par des siècles de culture, culture d'origine européenne, j'entends, culture dominante, alors que les réfractaires dont je serais *en partie* — avec d'autres femmes du «tiers-monde», pays en voie de développement, pays en *sous-* et en *mal*-développement — auraient été maladivement contaminées par les effets de la colonisation. Qu'en penses-tu? Toi, Nancy, que j'appelle «l'Anglo-Saxonne» pour moi-même, femme du Nord, blanche aux yeux clairs, délicate et raffinée, à la fois souple et rigide...

A bientôt,

LEÏLA.

Lettre II

Chère Leïla,

Contrairement à toi, je n'écris pour ainsi dire jamais dans les cafés, et cela par principe (certainement lié à mon «exil» à moi): j'aurais peur de ressembler à une «Américaine à Paris», une de ces jeunes femmes qui me ressemblent trop, justement, avec leurs yeux si bleus et leur peau si maladivement saine, et que je vois attablées aux terrasses en train de griffonner ostensiblement dans leur journal intime («Aujourd'hui: *Mona Lisa*») ou de remplir des aérogrammes («Cher John, le croirais-tu?, je t'écris depuis une terrasse de café à Montparnasse!»)... Toi, tu ne risques pas de tomber dans ce cliché-là... Mais pourquoi? Est-ce que tu porterais ton appartenance au Vieux Monde sur le visage, sur le corps? C'est assez énigmatique... De même, ça a toujours été un mystère pour moi que les blue-jeans des Américains les trahissent en tant que tels, alors que des millions de jeunes Européens portent des blue-jeans eux aussi. Moi, je n'en porte pas. Et j'ai tendance à fuir ces créatures qui sillonnent Paris avec leur sac à dos en tissu bleu synthétique: s'ils me demandent en anglais leur chemin, je leur réponds presque en chuchotant pour qu'on ne puisse pas,

11

encore une fois, m'épingler comme «une de ces Américaines qui parlent fort».

D'abord parce que je ne suis *pas* une Américaine. Il y a un dicton qui dit : «En général, il est impossible de distinguer un Américain d'un Canadien. La seule façon de repérer le Canadien, c'est de lui dire cela.» En effet, nous autres Canadiens anglais détestons être assimilés à nos voisins du Sud précisément parce que ceux-ci nous sont tellement proches : nous parlons la même langue qu'eux, nos médias et nos programmes scolaires sont envahis par leur culture bruyante et impérialiste ; nous faisons de notre mieux pour leur résister et pour définir notre spécificité par rapport à eux. Mais c'est toujours «par rapport» : et 90 % de la population canadienne est concentrée à moins de cent cinquante kilomètres de la frontière américaine ; certes, il y fait moins froid que plus au nord, mais quand même, c'est dire.

Même en admettant qu'à toutes fins utiles je sois américaine, c'est-à-dire née et élevée en Amérique du Nord, ce continent anglo-saxon, riche et irrémédiablement moderne, je ne voudrais pas être repérée comme une «Américaine à Paris» ; les connotations de cette épithète me sont trop étrangères : bohème chère, vacances chics, épatement, éclatement, flâneries fières le long des quais de la Seine, familiarité snob avec les vins des différentes régions (savais-tu que le mot français de «connaisseur» est repris tel quel par la langue anglaise ?)... Parce que je ne suis *pas* francophile. Depuis que je vis en France, je me suis presque fait un point d'honneur de ne *pas* apprendre à distinguer un bourgogne d'un bordeaux, de ne *pas* connaître le nom de tous les fromages, de ne *pas* visiter tous les châteaux de la Loire. La raison de ma présence ici, de mon exil volontaire, se situe sur un autre plan... que je vais tenter de définir, peu à peu, avec toi.

Tu me connais depuis si longtemps que tu ne remarques probablement plus mon accent. Il n'en va pas de même du premier passant dans la rue. Quand j'essaie de décourager un dragueur, par exemple, ma prononciation imparfaite devient un prétexte pour relancer la conversation : « Ah ! Vous êtes anglaise ? C'est votre premier séjour à Paris ? » L'autre jour, distraite, j'ai déposé trop ou trop peu de monnaie à la caisse d'un tabac ; une cliente française m'est venue immédiatement en aide en traduisant : « *Seventeen francs and forty centimes* » ; il ne me restait qu'à la remercier et à m'en aller, penaude.

Or ça fait dix ans que je suis là. Je me souviens, petite, d'avoir trouvé pitoyable qu'un vieil ami hollandais de mes parents ne sût toujours pas prononcer correctement le *r* anglais. Après tout, il n'avait qu'à imiter ses propres enfants ! A part moi, je l'accusais de mauvaise volonté : les adultes me semblaient par définition supérieurs en tout aux enfants et je ne pouvais pas admettre que l'apprentissage des langues fasse exception à cette règle.

Maintenant, mon accent à moi aussi est là, inextirpable ; je sais que je ne m'en débarrasserai jamais. Il devient plus fort quand je suis nerveuse, quand je parle à des inconnus, quand je dois laisser un message sur un répondeur, quand je prends la parole en public. Si j'écoute ma voix enregistrée au magnétophone, j'entends exactement *quels* sons je déforme. Mais rien n'y fait, j'ai appris le français trop longtemps après ma langue maternelle ; il ne sera jamais pour moi une deuxième mère, mais toujours une marâtre. (Il m'est arrivé d'entendre mes propres textes en français lus à haute voix par d'autres et d'être frappée de ce que ces mots que j'avais pensés et écrits avec un accent pouvaient être dits avec une prononciation impeccable... Ça ressemblait à du vrai français !)

Mais mon accent, au fond, j'y tiens. Il traduit la friction entre moi-même et la société qui m'entoure, et cette friction m'est plus que précieuse, indispensable. Bien que j'aie désormais la double nationalité, canadienne et française, bien que j'aie donné naissance à une fille qui, elle, sera française jusqu'au bout des ongles et parlera sans accent, je n'ai aucune envie de me sentir, moi, française authentique, de faire semblant d'être née dans ce pays, de revendiquer comme mien son héritage. Je n'aspire pas, en d'autres termes, à être vraiment *naturalisée*. Ce qui m'importe et m'intéresse, c'est le culturel et non le naturel. Enfant au Canada, et plus tard adolescente aux Etats-Unis, j'avais le sentiment que tout y était (par trop) naturel. Vivre à l'étranger m'a permis d'avoir, vis-à-vis du pays d'origine *et* du pays d'adoption, un petit recul critique : je les perçois l'un et l'autre comme des *cultures*. La même chose vaut pour la langue : ce n'est qu'à partir du moment où plus rien n'allait de soi — ni le vocabulaire, ni la syntaxe, ni surtout le style —, à partir du moment où était aboli le faux naturel de la langue maternelle, que j'ai trouvé des choses à dire. Ma «venue à l'écriture» est intrinsèquement liée à la langue française. Non pas que je la trouve plus belle ni plus expressive que la langue anglaise, mais, étrangère, elle est suffisamment *étrange* pour stimuler ma curiosité. (Encore aujourd'hui, si je dois faire un article en anglais, je le rédige d'abord en français pour le traduire ensuite : perversion peut-être, perte de temps sans doute, mais sans cela j'aurais l'impression de me noyer dans des évidences trompeuses.)

Tu dis que je sais assimiler et utiliser des «codes»... C'est vrai que j'ai été très séduite, au début de mon séjour ici (qui ne devait être qu'un «séjour», une année d'études universitaires), par les discours qui pullulaient alors ; j'ai assisté avec avidité aux séminaires en vogue, j'ai consommé goulûment quantité de livres et de revues théoriques, j'ai avalé les textes de Barthes et de Lacan avec, non pas le lait maternel, mais le lait de cette marâtre qu'était pour moi la langue française ; c'est à travers eux que j'ai perfectionné ma connaissance du subjonctif. En même temps, j'étais ahurie par la «servilité» que suscitaient autour d'eux ces maîtres penseurs. Même si je l'avais voulu, je n'aurais jamais pu me glisser dans une de ces chapelles, devenir la disciple fervente d'une de ces divinités intellectuelles — parce que, de l'autre côté de l'Océan et toujours présente dans ma tête, il y avait l'Amérique du Nord. Les concepts que j'apprenais ici n'étaient pas recevables là-bas ; ils m'abandonnaient, avec la langue, chaque fois que je décollais d'Orly... et *heureusement*. Je me souviendrai toujours d'un certain matin où je me suis réveillée dans un loft new-yorkais, dans les bras d'un homme avec qui l'amour la veille m'avait fait défaillir de joie ; je me suis dit en anglais : « Pourtant Lacan prétend qu'il n'y a pas de rapport sexuel » — et j'ai ri tout haut, follement heureuse de trouver cette idée parfaitement imbécile dans mon contexte américain.

Ce qui m'a toujours impressionnée chez toi, c'est que tu parviennes à parler et à écrire le français *comme* une langue étrangère. Tu sembles avoir une allergie pour la rhétorique académique, les lieux communs en tout genre : combien de fois, à *Histoires d'elles* ou ailleurs, je t'ai entendue dire par exemple : « Je me sens interpellée, comme on dit, euh, interpellée très fort, très, très interpellée » — pour te moquer des expressions qui étaient justement à la mode.

Comment se fait-il que tu aies su éviter ces pièges de ce que tu appelles la culture dominante (qui était quand même celle de ta mère) et t'inventer une langue si fraîche, si personnelle, un idiome à la fois libre et précis ? Les aller-retour fréquents au pays d'origine qui m'aident à maintenir la France en perspective n'ont pas pu jouer ce rôle pour toi : ta vie est vraiment divisée en deux (première moitié Algérie, deuxième moitié France)... Comment fais-tu, alors, pour garder tes distances ? Quel effet a produit sur toi le premier retour en Algérie l'année dernière ? Il faudrait que nous disions, l'une et l'autre, la bizarrerie qu'il y a à « rentrer chez soi » en touriste...

NANCY.

Lettre III

Paris, le 4 juin 1983

Nancy,

C'est à ma table que j'écris, cette fois. Une table ronde cernée à droite de panneaux surchargés d'images, de photographies de presse, de cartes postales, de portraits de la Sabine et de la Marianne des timbres français, de textes et de fiches dont je ne te dirai pas le détail, de cartons plats de plumes Sergent-Major, de plaquettes de minuscules boutons de mercerie, de tes chameaux envoyés ou rapportés des U.S.A., d'une reproduction de tombeau mauresque ancien, d'un portrait photographique de D. dont la beauté m'émeut toujours et, à gauche, des tables mobiles où s'empilent des chemises qu'il faut toujours classer, des livres à lire et des photos exposées provisoirement pour le travail du moment (exposées à mes yeux seuls : photos de guerre, de massacres, d'exode, Algérie, Afrique noire, Liban, Viêt-nam)…, juste à portée du regard, le jardin de Manet, celui que je t'ai envoyé il y a quelques jours, au-dessous du visage casqué d'un soldat en armes. Sur la table, des papiers alignés, divers, désordonnés et la photo double page sur papier glacé d'un enterrement arabe… Ce qui m'étonne, à l'instant où je t'écris, dans ce lieu précis, c'est que je puisse le faire, alors que je pensais ne pouvoir écrire de l'exil que dehors, dans l'anonymat des lieux publics dont je te parlais, qui peuvent être du désert ou Babel suivant le besoin et l'humeur... Mais le téléphone sonne, on sonne à la porte, les enfants entrent en turbulence et je bascule. J'aurais beau fermer la porte, m'enfermer, me coller à ma table, à ma chaise, leurs cris, leurs voix m'ancrent et m'enfoncent dans le quotidien domestique, dans une réalité qui me tient ici à ce béton, à ce quartier, à cette rue, à cette maison où je n'ai pas de refuge géographique qui me sépare et me protège... Je sais que je vais poser mon stylo et ranger les feuilles dans la chemise des lettres, pour t'écrire quand je serai seule et ailleurs.

Ces lettres, je les écrirai je crois toujours dehors... Et puis ma mythologie affichée, même si je suis la seule à la voir et si elle m'est nécessaire, vitale, me pèse là maintenant... Heureusement, je n'écris pas à la machine.

Le 7 juin

Tu vois, tu l'éprouveras avec Léa, et peut-être déjà avec son frère et elle, les enfants, la maison, le quotidien m'ont tenue jusqu'à ces 2 heures où je t'écris de *La Coupole*, sur le beau papier à l'effigie de *La Coupole* avec femme 1920 nue assise comme un modèle au milieu de palettes et de livres..., sur fond de coupole stylisée — je n'y reconnais pas une coupole mauresque — et, au-dessous, «Bar américain» me fait rire à cause de ce que tu disais dans ta lettre : ton horreur d'être «une Américaine à Paris», du stéréotype que je ne redoute pas comme toi lorsque j'écris dans une brasserie, lettres au même, toujours lui, j'aime aussi lui écrire des cafés, des gares et des hôtels ; nouvelles, notes prises à la hâte... Je pense toujours que si je perdais mon stylo-plume, un Parker, le même depuis plus de dix ans… Chaque fois que je crois l'avoir perdu, j'entre en hystérie et je me sens la force et la violence de tuer, vraiment, même un enfant… D'ailleurs, dans ces cas-là, c'est presque toujours un enfant que je soupçonne. Je l'ai jusqu'ici retrouvé. Tu sais que j'ai été choquée de ta lettre tapée à la machine. Je ne sais pas pourquoi, j'étais sûre que j'allais recevoir une lettre écrite à la main, à l'encre verte, tu écris tes cartes à l'encre verte, de ta si jolie et si régulière écriture ; tu as seulement signé ton prénom non pas de ta plume, au stylo-bille… Je me trompe, en vérifiant, tu as corrigé les fautes de frappe au stylo-bille bleu pâle et ton prénom est *aussi* tapé à la machine, comme l'en-tête. Je ne sais pourquoi, je tiens si farouchement à cet archaïsme : tout écrire au stylo-plume. Je ne tape pas à la machine, je ne sais pas et je n'apprends pas malgré toutes les méthodes rapides. Je dis toujours que, comme mon horreur du four à gaz où la flamme moderne saute (mais là je suis encore dans les années cinquante…, je n'arrive même pas à penser à un four électrique ultra-moderne), ma méfiance des répondeurs automatiques et de tout ce qui est électronique tient à mon double état de femme et de sous-développée déplacée dans le monde moderne occidental, à la pointe de la technologie… Mais j'affirme en même temps, à qui pourrait me croire, que lorsque j'aurai chez moi une machine électronique, je saurai, comme par miracle, taper sans avoir appris et le texte jaillira lumineux sur l'écran… Mais comment me croire ?

La mobilité du stylo-plume me plaît infiniment. On peut avoir en poche un stylo, un peu de papier, et n'importe où on sera à la fois prêt à écrire et prêt à partir. Le passage à la machine me fait peur, ça me paraît si lourd, si contraignant… C'est une autre matérialité, une autre pratique, d'autres rites. C'est trop abstrait, je crois. J'ai besoin d'une attache visible, manuelle à la lettre, au mot, au texte qui s'écrit ; c'est *ma terre* au fond et si je devais passer par la machine, les touches, le mot qui se forme à coups successifs qu'il faut vérifier sur le papier et corriger par des mouvements de mécanique, je me sentirais une fois de plus *dénaturée*. Je crois l'avoir été suffisamment dans les passages de l'une à l'autre culture, d'un pays à l'autre, d'une langue de l'école et de ma mère à l'autre langue que je n'ai pas apprise, que je n'ai pas voulu apprendre ni pratiquer, ni lire ni écrire, que je veux toujours *seulement* entendre. Car ce que je sais, après tant d'années de pratiques multiples de la langue maternelle, le français, c'est que si j'avais su l'arabe, la langue de mon père, la langue de l'*indigène*, la parler, la lire, l'écrire..., je n'aurais pas écrit. De cela je suis sûre aujourd'hui. Si j'étais restée dans le pays de mon père, mon pays natal avec lequel j'ai une histoire si ambiguë, je n'aurais pas écrit, parce que faire ce choix-là, c'était faire corps avec une terre, une langue, et si on fait corps, on est si près qu'on n'a plus de regard ni d'oreille et on n'écrit pas, on n'est pas en position d'écrire. Tu parlais dans la fin de ta lettre de «rentrer chez soi», de retour au pays natal. Tu vois, j'ai différé la réponse jusqu'à cette page et je ne me sens pas la force d'en parler en fin de lettre ; tu veux bien qu'on en parle la prochaine fois. Ce que j'aime dans une lettre, c'est l'absolue liberté d'écrire, de répondre ou non, de reprendre ou pas, tel ou tel point de la lettre reçue, de revenir sur ce qui tient à cœur, même si ce n'est pas le sujet... Ces reprises comme en couture, ces raccommodages dont parlait Dani, ces digressions à l'infini, ces bavardages qu'on aimait tellement dans les réunions de femmes pour *Histoires d'elles* surtout et qui n'excluaient pas le sérieux, la gravité. L'humour, le rire, la sagesse, tout cela se liait chez toi, dans ces réunions de travail.

Je te reparlerai du retour au pays natal..., mais toi avant...

LEÏLA.

Lettre IV

Paris, le 16 juin 1983

Chère Leïla,

Si je t'envoie des lettres dactylographiées, tu ne dois pas t'en offenser : pour moi la machine à écrire n'a rien d'impersonnel, elle sert simplement à me convaincre que ce que je fais a quelque chose à voir avec *écrire*. A vrai dire, je ne tape rien directement à la machine, même pas les lettres ; moi aussi, je tiens (dans un premier temps) à ce reflet des méandres de mon esprit qu'est la page manuscrite, avec ses ratures et ses reprises, ses flèches et ses faiblesses. Mais elle me semble justement *trop* faible, trop ténue, trop vulnérable ; la taper ensuite lui confère une (sans doute illusoire) consistance. J'ai peur, je crois, de tout ce qui est épars, flottant et impossible à fixer — c'est pourquoi je ne note pas (comme le ferait un «vrai écrivain») les choses qui me passent par la tête quand je suis dehors ; il me semble que je n'arriverais jamais à y mettre de l'ordre... Je ne transporte jamais avec moi un attirail d'écrivain, même minimal. Une maîtresse d'école de mon enfance aimait à dire : «Un menuisier ne se déplace jamais sans marteau, un écolier ne doit pas se déplacer sans stylo» : cette sagesse stupide m'a agacée, et du coup je me retrouve une fois sur deux sans stylo quand j'en aurais besoin. Loin d'avoir, comme toi, un stylo fétiche, j'écris avec les outils les moins chers et les plus anonymes, de préférence des feutres verts ou noirs, parce que ça glisse bien et que c'est propre ; mais je les égare et je dois en racheter sans arrêt... C'est peut-être l'*ostentation* de l'écrivain que je cherche à éviter ainsi. (Le comble, dans le genre, a été atteint un jour à San Francisco quand j'ai vu un type installé à la terrasse d'un café littéraire célèbre, en train de taper furieusement sur sa machine à écrire..., comme quoi celle-ci peut signifier tout ce qu'on veut !)

Si ce sont les lieux publics qui incarnent et maintiennent en vie pour toi l'«exil», à l'écart de la vie familiale, du domicile conjugal dans lequel tu ne peux qu'être une Française somme toute conventionnelle, chez moi, c'est un studio qui remplit la même fonction : chaque matin, je quitte la «maison de M.» (que j'appelle toujours ainsi, même si j'y passe presque toutes mes nuits depuis quatre ans) pour venir dans «ma maison» à un quart d'heure de marche. J'y suis seule la plupart du temps, je m'y sens tout à fait chez moi, et pourtant toujours un peu dépaysée. C'est sûrement une des raisons pour lesquelles j'ai choisi de vivre dans le Marais, l'un des quartiers les plus bigarrés de Paris : ici, mon «étrangéïté» ne peut jamais s'effacer, ne serait-ce que parce que les commerçants parlent entre eux des langues que je ne comprends pas (l'arabe et le yiddish) et parce que les magasins sont fermés selon des horaires insolites. Depuis six ans maintenant que j'habite la rue des Rosiers, j'ai bien sûr fait des connaissances : je peux bavarder avec mon boulanger ou mon kiosquier (sur tout sauf des sujets politiques) ; la concierge et certaines voisines me demandent régulièrement des nouvelles de ma fille ; mais il est clair que je ne fais pas partie de leur monde. On se sourit, on se rend des petits services, et ça s'arrête là. Eux aussi sont expatriés, d'une façon ou d'une autre — souvent ils «rentrent» en Israël ou au

Maroc pendant l'été —, mais à Paris ils forment entre eux une *communauté*, avec tout ce que ce mot implique d'habitudes familières et de contraintes. Je regarde cela avec une nostalgie difficilement explicable — car même dans mon enfance je ne l'ai pas connu, ce sentiment de «famille élargie» — et en même temps je suis contente de le côtoyer sans y être impliquée.

Parfois, l'on me demande si je ne souhaiterais pas un jour «rentrer chez moi», et quand je réponds que je n'ai plus d'autre chez moi que Paris, on est éberlué. J'essaie d'expliquer : je n'ai vécu dans aucune autre ville aussi longtemps (le record a été battu il y a trois ans déjà) ; je n'ai jamais vécu là où habitent maintenant ma mère et mon père (ce n'est d'ailleurs pas la même ville ni le même pays) ; pendant les neuf ans qu'a duré leur mariage, ils ont déménagé dix-huit fois (c'était l'une des raisons du divorce) ; j'ai quitté mon pays natal il y a quinze ans maintenant, c'est-à-dire la moitié de ma vie... Non. On ne comprend toujours pas. Pour un Européen, il est inconcevable que l'on ne ressente pas, loin de chez soi, le «mal du pays» et *a fortiori* que l'on n'ait pas de pays pour lequel le ressentir. J'envie parfois leur attachement à leur province ou à leur patrie ; j'envie aussi les «vrais» exilés, ceux qui disent aimer passionnément leur pays d'origine, sans pouvoir pour des raisons politiques ou économiques y vivre ; dans ces moments, mon exil à moi me semble superficiel, capricieux, individualiste..., mais il n'en est pas moins réel, et de plus en plus réel à mesure que le temps passe.

Comment t'expliquer, à toi qui as grandi au sein d'une civilisation ancienne pour passer ensuite dans une autre, toi qui n'as jamais mis les pieds au «Nouveau Monde», l'absence d'attaches qui est là-bas la règle plutôt que l'exception ? Dans la province d'Alberta où je suis née, on vante une église ou un bâtiment public comme «historique» s'il date du début du XXe siècle. Tout le monde est exotique en Amérique, surtout les indigènes (qu'on met dans des réserves pour protéger leur exotisme). Tout le monde a des arrière-grands-parents venus d'ailleurs et des souvenirs de leurs sagas. Changer de ville, d'emploi, de parti politique ou de persuasion religieuse est aussi facile que de changer de chemise.

Vu cet état des choses, il est assez paradoxal que, de tous les peuples du globe, ce soient les Américains qui affirment avec le plus d'arrogance et de suffisance leur identité nationale, comme si le fait d'être né là-bas était en soi une vertu. On le voit souvent au cinéma, dans des films aussi différents que *Ninotchka* et *Missing*: «Je suis un citoyen américain, vous ne pouvez pas me faire cela!» Et, n'étant pas entourée de toutes parts par des pays à langues différentes, l'Amérique, malgré son héritage polyglotte, est convaincue que la langue anglaise est universelle ou devrait l'être. C'est pourquoi, dans les cafés européens, les touristes américains n'essaient pas de traduire leurs demandes quand ils voient qu'elles restent incomprises, mais les répètent d'une voix plus forte: «*I said a HAM SANDWICH!*» Je rougis chaque fois que cela se produit; je rougis de comprendre et d'appartenir à un peuple si peu compréhensif. Du reste — à propos de crier fort —, je trouve que vivre à l'étranger m'a civilisée. Non pas parce que la France est un pays plus civilisé que l'Amérique (ce qui est sans doute vrai), mais parce qu'il y a toujours quelque chose de ridicule à s'emporter dans une langue étrangère: l'accent s'empire, le débit s'emballe et achoppe, on n'arrive pas à vraiment «gueuler», à vraiment «se défouler», on emploie les jurons à tort et à travers — et, du coup, on doit s'ingénier à trouver des moyens plus raffinés pour exprimer sa colère...

J'ai l'air bien hostile à l'égard de l'Amérique du Nord, mais en fait c'est plus complexe que ça. Retourner là-bas, pour moi, c'est rencontrer l'Ambivalence en personne...

L'expérience comporte plusieurs étapes. Quand,

après un an ou deux d'absence, je descends d'avion à Montréal, à Boston ou à New York, il y a toujours une mince épaisseur d'étrangeté au tout début : je perçois mon propre pays comme un pays étranger — ou plutôt, j'éprouve la sensation troublante, comme dans un rêve, que tout m'y est absolument familier et en même temps légèrement «déplacé». Cette sensation dure très peu de temps, quelques jours tout au plus. Elle est remplacée par l'étouffement. Je commence à «faire corps», comme tu le dis si bien, avec cette langue maternelle et avec cette mère patrie. Tout en elles m'étouffe, toutes les nuances de niaiserie depuis les prévisions météorologiques à la radio jusqu'aux conversations dans la rue. Je comprends trop bien, ça me colle à la peau : c'est moi — le moi que j'ai fui —, ce sont toutes les platitudes de mon enfance dans les Prairies plates, les mêmes inanités religieuses, les mêmes chansons débiles — et je panique. Là, pour le coup, j'ai le mal du pays, mais comme on dit le mal de mer : mon pays me donne la nausée.

Cette période s'achève généralement au bout d'une quinzaine de jours. Ensuite je deviens plus raisonnable. Je me rends compte qu'ici aussi il y a des gens merveilleux, une littérature qui s'écrit et que je ne lis plus, une vie musicale plus riche qu'en France... Je me détends, mon humeur massacrante se dissipe, je rends visite aux parents et aux amis, je les embrasse avec une tristesse sincère (ça, c'est le pire : toujours renouveler l'amitié et l'amour, toujours rouvrir les portes en sachant qu'elles se refermeront aussitôt après, rouvrir et refermer à l'infini)..., et je m'en vais. Et dans l'avion — les avions décollent invariablement en fin d'après-midi, et au-dessus de l'Océan il y a des crépuscules d'une beauté déchirante — je pleure. Je pleure d'avoir à quitter ces êtres qui me connaissent et me comprennent, au fond, mieux que les Français ne le feront jamais ; je pleure l'immense, l'incomparable ciel canadien ; je pleure la langue anglaise qui m'a accueillie avec tant de naturel, qui a coulé de mes lèvres avec tant de facilité ; je pleure mes parents qui vieilliront encore alors que je ne serai pas là ; je pleure mes petits frères et sœurs qui ne sont plus petits et que je ne connais plus ; je pleure d'être la femme têtue et prétentieuse que je me semble alors, la femme sans cœur qui a tout balancé pour aller s'éclater à Paris.

De retour à Roissy, je hais la France. L'accent des Parisiens (surtout par contraste avec celui des Québécois) est grinçant, pincé et snob. Les gestes, les regards, tout est à l'avenant : assise à une terrasse de café, je me rends compte que je ne pourrai plus étendre mes jambes de la même façon qu'en Amérique et je suis envahie d'un ressentiment sans bornes… La petitesse et les rudoiements des commerçants français, venant après la bonhomie indiscriminée des Américains, me révoltent et me donnent envie de taper — même si je sais que cette même bonhomie me semblera gratuite, exagérée et tout aussi révoltante dès que je retournerai aux Etats-Unis…

Bref, ce n'est pas pour moi une chose joyeuse que l'aller-retour d'un pays à l'autre. Je ne fais pas partie du *jet-set*, cette population apatride qui vit la transition d'un monde à l'autre dans l'allégresse, la légèreté. Pour moi c'est *lourd*, et j'en veux aux avions qui effectuent le trajet en sept heures comme si de rien n'était : il me faudrait au moins les sept jours du bateau pour me préparer au «choc des deux cultures», comme nous disons dans ma langue.

NANCY.

Lettre V

Paris, le 2 juillet 1983

Nancy,

Tu vois, je suis seule à Paris une semaine, seule chez moi. J'aurais pu t'écrire de ma table. Vingt-quatre heures de suite et plus, aucun enfant, personne, à peine le téléphone, ne m'aurait interrompue. Il m'a fallu aller dès le matin tôt à *La Coupole*. Je n'y suis pas venue beaucoup dans l'année et ce matin, pour toi, j'y suis. J'ai tellement peur qu'elle disparaisse un jour, vendue à je ne sais qui, qui en fera quinze cinémas ou un sex-shop gigantesque ou des studios de luxe... Je n'ai pas de lieu dans Paris. Je marche beaucoup dans la ville, toujours suivant le même trajet, rarement de l'autre côté de la Seine..., un itinéraire depuis des années balisé par moi, dans l'inconscient, et qui reste le même — avec quelques écarts accidentels comme par exemple la rue des Rosiers pour nos réunions de l'année dernière... «C'est pas mon quartier»... et je n'ai jamais cherché dans Paris les quartiers de folklore, les réunions de communautés étrangères. J'y passe, je ne m'arrête pas, sauf pour des raisons très précises ; je n'aime pas être touriste dans les quartiers juifs, arabes, chinois..., sachant trop que je suis à distance. Je n'ai pas de lieu, et plus de dix années après ce qui nous a fait bouger, nous n'avons pas créé d'espace pour nous et d'autres, pas de lieu convivial, malgré des velléités répétées. Les rares cafés, salons de thé, librairies de femmes qui existent et qui, tenus par des femmes, n'excluent pas les hommes, je n'y vais pas, même si géographiquement ils sont proches de chez moi. Au fond, comme je te le disais, malgré cette nostalgie de lieux où on se retrouverait, je recherche plutôt des lieux anonymes de rencontres impossibles et où je peux voir et entendre des différences, où justement je ne retrouve pas les mêmes.

Je voudrais comprendre, en t'écrivant ce matin, pourquoi je ne réussis pas à le faire chez moi, pourquoi j'ai eu besoin, impérativement, de sortir pour cette brasserie où je reste souvent plusieurs heures de suite, même s'il fait beau, comme aujourd'hui. Je crois que c'est parce que la seule minuscule place où je peux écrire chez moi est occupée, chargée, encombrée d'une mémoire que je retrouve en ce moment et qui m'étouffe. T'écrire ailleurs me redonne un souffle que je perds à mesure que je me fixe ici, en France, à Paris, dans un lieu domestique, avec des racines, les plus fortes qui soient, des enfants faits ici, avec un homme d'ici, de la ville, de Paris, même si comme moi c'est un *croisé*. Je n'aurais pas «fait souche» avec un Français de souche, ça jamais, ni toi j'imagine avec un Canadien anglais ou un Américain de souche... Tu es venue bien loin, pour vivre avec M. qui, comme toi, parle une autre langue ou plutôt dans une autre langue, je veux dire que la langue française n'est pas sa langue maternelle, ce qui n'est pas le cas pour D. ni pour moi. Ce qui pourrait paraître similaire dans nos choix respectifs, c'est que la mère de D. est juive russe et que mon père est arabe, c'est comme si c'était une autre langue...

Je m'aperçois que cette *division* dont j'ai pu souffrir, aujourd'hui j'y tiens et je veux la préserver. Cette division en danger permanent d'unité, d'unification, je ne sais quel serait le mot juste. Je la revis ce matin, seule ici, dans la ville, seule chez moi comme il y a vingt ans, lorsque j'étais seule dans une ville étrangère. J'arrivais d'Alger, de l'Algérie que je n'avais jamais quittée pour aller vivre ailleurs, de l'autre côté de la Méditerranée. J'ai remarqué dans l'une de tes lettres que tu dis, toi, « de l'autre côté de l'Atlantique », « de l'Océan »… Tu sais que la France dit « outre-mer » pour ses territoires — l'Algérie il y a plus de vingt ans, aujourd'hui les petites Antilles, la Martinique, où vit depuis dix ans ma jeune sœur, et d'autres où je ne suis pas allée mais où j'irai un jour si j'arrive enfin à quitter Paris sans angoisse. Cette « Française conventionnelle » que je serais dans la maison, dont tu parles dans ta dernière lettre, je ne réussis pas à l'être tout à fait, malgré une nécessité certaine qui rendrait la vie domestique plus simple, plus égale, plus mesurée. C'est vrai aussi que je le suis par force, à cause des enfants et de leur éducation, au quotidien, de leur entretien matériel, culturel, scolaire…, tout ce qui me contraint à une normalisation minimale dans la vie domestique. Au fond, j'ai fait deux petits Parisiens à qui il faut rappeler les mélanges, sinon…, sinon rien. Je pense qu'ils sont déjà et pour toujours des enfants français et qu'ils auront à se fabriquer une singularité qui m'a été donnée, à moi, dès la naissance. Quand je parle de *division* nécessaire, vitale, je devrais dire *divisions*, ou division multiple, multipliée. C'est ma conscience de l'exil qui m'a fait comprendre et vivre la division, dans le mouvement des femmes en particulier, où j'ai su que je suis une femme dans l'exil, c'est-à-dire toujours à la lisière, frontalière, en position de franc-tireur, à l'écart, au bord toujours, d'un côté et de l'autre, en déséquilibre permanent. Un déséquilibre qui aujourd'hui, après des passages, des initiations amoureuses et politiques, me fait exister, me fait écrire. Un déséquilibre qui, lorsque je suis venue en France pour y rester, a failli plus d'une fois me voir — comme ma jeune sœur qui était venue passer une année avec moi dans la ville du Midi où je me retrouvais après l'Algérie — enfermée, séquestrée volontaire de jour et de nuit, schizophrène et anorexique mutique... Elle est repartie à Alger. Moi, je suis restée, maintenue artificiellement dans la vie sociale et intellectuelle à cause d'une passion à distance et que je ne pouvais vivre que loin de la France et loin de l'Algérie... Ce qui faisait dire de moi, par ceux que je voyais dans cette ville, que j'étais volontariste... Je le suis toujours, tu le sais bien...

Est-ce par volontarisme qu'on s'écrit ces lettres parisiennes sur l'exil, la division, les croisements, nos histoires différentes, politiques et amoureuses ? Peut-être bien à l'origine, mais à mesure que les lettres se succèdent j'y vois une *nécessité*, un travail qui me fait plaisir, une parole épistolaire. Ce que je ne peux écrire que dans un certain désordre et une belle irrégularité, je ne l'aurais pas parlé, je ne l'aurais pas écrit autrement ni ailleurs, même pas dans mes cahiers que je remplis comme le «Journal intime et politique» qu'on tenait à *Histoires d'elles*. D'ailleurs, sais-tu, depuis ces lettres je ne tiens plus mon journal intime. (Ou plutôt, je le remplis autrement, si je relis les derniers cahiers.) Je vois ce matin seulement la coïncidence entre ces deux faits. Ce n'est pas le même *genre*, malgré des similitudes évidentes : bavardage, coq-à-l'âne, mélange de genres, remarques, analyses, réflexions, notes télégraphiques, sibyllines, sans queue ni tête, phrases codées ou ampoulées... Tout est permis... Ce n'est pas à lire publiquement, sauf si c'est écrit pour ça ou si c'est un écrivain dont le journal intime sera publié en livre posthume...

Tu es dans le Berry. Le pays de George Sand, pour qui j'ai eu une passion passagère il y a longtemps et dont j'avais découvert un roman qu'on ne lit plus et qui m'avait bouleversée, il s'appelle *Indiana* et, si je me souviens bien, c'est l'histoire d'une *indigène* des territoires d'outre-mer (l'île Bourbon, je crois, il faudra que je vérifie) amoureuse d'un jeune homme, un Blanc, un Français à coup sûr aristocrate... Amour impossible, fin tragique... Un beau sujet romanesque... Je le chercherai chez moi pour m'assurer que ce que je te raconte n'est pas trop déformé. J'y ai repensé en lisant, il y a deux ou trois ans, un roman de M. T. Humbert, *A l'autre bout de moi*, où les questions de couleurs, de races, d'alliances et de mésalliances, de métissages donnent au roman sa chair et sa force.

Ce que j'aime à *La Coupole*, c'est que les garçons ne me pressent pas de terminer ma lettre. Je suis là depuis 9 h 30, il est midi, les tables autour sont couvertes, blanches et propres, le couvert est mis partout, le chef de rang a tout vérifié et moi je continue. Mais là j'arrête et je termine par un fait divers que je voulais te raconter au début de la lettre. Tu l'as sûrement lu dans *Le Monde*. Tu sais mon attention maniaque au *fait divers*, et en particulier à tout ce qui touche à la violence du côté des enfants, des femmes et des Arabes... Voici : un couple iranien est venu vivre à Paris. Ils ont de l'argent, un appartement, un enfant, Palmyre... La femme s'appelle Roza. L'homme, j'ai oublié. Ils ont emmené avec eux une jeune Iranienne, une fille illettrée de la montagne, que sa famille a confiée au couple fortuné pour les servir en France. C'est la femme qui veut faire son éducation, former une bonne servante, la civiliser pour Paris. La fille résiste, semble-t-il. Elle a la tête dure. Les coups pleuvent. En Iran on dit que les coups font partie de l'éducation, comme en Algérie, personne ne s'en offusque. Faire appel au juge, porter plainte dès qu'on reçoit une gifle, c'est bon pour les pays du Nord, mous, efféminés... Tel est le discours lorsqu'on aborde ces questions-là en Afrique du Nord et sûrement ailleurs dans le bassin méditerranéen. Donc, un soir, le chef de famille iranien, le patron de la petite fille esclave, qui n'a jamais levé la main sur elle — il ne veut pas la battre à main nue, ce serait l'offenser —, prend une tige de fer, l'antenne de télé... et la frappe à mort. Elle meurt. Les époux ne comprennent pas lorsqu'ils la retrouvent morte à la fin de la soirée passée chez des amis français, de retour à l'appartement... *L'enfant sauvage...* Une nouvelle que j'écrirai...

Là, il faut que je parte. Les maîtres d'hôtel sont près de ma table, la serviette sous le bras...

Parle-moi du Berry et de Léa.

LEÏLA.

Je vais à Cargèse, en Corse, pour la mer... Ecris-moi là-bas.

Lettre VI

Ardenais, le 5 juillet 1983

Chère Leïla,

Cela fait toujours rire les Français, je n'ai pas encore compris tout à fait pourquoi, l'idée qu'une Canadienne puisse être berrichonne. (Pourtant l'accent d'ici ressemble un peu au québécois, même s'il est invraisemblable qu'il y ait eu, au XVIIIᵉ siècle, une émigration depuis cette province sans la moindre côte maritime.) Bien sûr, je ne me sens pas authentiquement berrichonne, pas plus qu'authentiquement parisienne, mais il se trouve que par une série de coïncidences je suis toujours venue ici pour mes vacances, quasiment depuis que je suis en France. Le premier homme avec qui j'ai vécu à Paris était de Bourges et ses parents avaient une petite maison à une trentaine de kilomètres au sud de la ville. C'était déjà une coïncidence, parce que moi aussi j'avais eu, quand j'étais étudiante à New York, une «passion passagère» pour George Sand; j'avais écrit un long devoir sur elle (il me semble que j'ai lu *Indiana* à l'époque, mais je n'en garde aucun souvenir); j'avais même essayé d'écrire une pièce de théâtre sur son séjour à Venise avec le maladif Musset (elle était tombée amoureuse du médecin italien qui le soignait)! C'est donc avec émoi que je suis allée pour la première fois à Nohant (je me souviens d'avoir pris en photo une drôle de pancarte à l'entrée du village : « Nohant O » — comme si le nom s'était transformé en Néant) et que j'ai visité le château où elle avait vécu, petite fille, avec sa grand-mère, et reçu, adulte, tant de visiteurs prestigieux.

(Après, puisque l'homme avec qui je vivais était gauchiste, j'ai compris qu'il ne fallait pas aimer George Sand parce que c'était une grande bourgeoise ; et plus tard, le mouvement des femmes m'a appris qu'il ne fallait pas aimer George Sand parce qu'elle était individualiste et opportuniste, ayant travesti son sexe afin d'écrire... Maintenant que j'ai plus de distance vis-à-vis des moralismes gauchiste et féministe, je devrais peut-être relire George Sand pour voir si oui ou non je peux l'aimer, toute seule comme une grande.)

Bref, deuxième coïncidence : en 1979, je rencontre M. et il s'avère qu'il a une maison de campagne située à quinze kilomètres de l'autre, que certains de mes nouveaux voisins connaissent mes voisins d'avant, etc. C'était cocasse, le premier été que nous avons passé ici : un homme de l'Europe de l'Est et une femme de l'Amérique du Nord qui se disputaient pour savoir lequel d'entre eux était le plus berrichon : mots de patois, boudin chaud *vs* boudin froid, pâté de pommes de terre *vs* galette de pommes de terre, et j'en passe.

Nous avons tous les deux la nationalité française et nous n'avons jamais parlé que le français entre nous ; c'est notre langue d'amour mais aussi notre langue d'écriture, nous faisons tous les deux des fautes mais pas les mêmes, ainsi nous pouvons nous corriger l'un l'autre ; nos accents sont très différents, surtout nos *r*, que j'ai tendance à racler exagérément alors que lui les roule, au contraire, sur le palais... Ça m'impressionne de penser qu'on peut rêver côte à côte dans deux *autres* langues, pour se réveiller et se raconter nos rêves dans une troisième, commune.

Il est certain que l'«étrangéïté» joue un rôle dans notre entente — je ne dirais pas dans notre attirance l'un pour l'autre car ce n'est pas d'exotisme qu'il s'agit, mais d'une différence irréductible qui fait que l'autre ne sera jamais complètement connaissable. Cette diffé-rence-là ne tient pas seulement à nos langues (après tout, il parle très bien la mienne), mais à nos enfances passées dans des pays on ne peut plus dissemblables, auprès d'êtres que l'autre ne connaîtra jamais. Les mille expériences ineffables des premières années de la vie — paysages, écoles, colonies de vacances, amis, frères et sœurs, nourriture, chansons, histoires drôles —, tout cela doit être médiatisé par la langue étrangère; et même si l'on se posait des questions pour le reste de notre vie, on n'aurait pas l'impression d'avoir épuisé, l'un chez l'autre, cette richesse. C'est contre l'illusion de la *transparence* (peut-être ce que tu appelles l'«unité», la «réunification») que nous sommes protégés ainsi. Le passé qui appartient en propre à l'autre est devenu en quelque sorte l'emblème de son indépendance, de sorte que, dans la vie quotidienne non plus, nous ne cherchons pas à tout savoir, à tout prendre ni à tout donner à l'autre. *Nous sommes des étrangers*, rendus proches par je ne sais quel miracle.

Cela dit, il est certain que notre fille sera parisienne, comme le sont déjà tes deux fils. Léa est encore trop petite pour que sa socialisation m'ait entraînée dans les ornières de la normalité, inévitables mais terri-fiantes : rapports obligatoires avec les parents d'élèves, système scolaire dont j'ignore tout et où ma margina-lité si soigneusement préservée s'effritera forcément... Mais je me souviendrai toujours de mon accouchement «parisien». Depuis les fenêtres de la salle de travail, entre deux vagues de douleur, je pouvais contempler, au milieu d'un coucher de soleil sanglant, la tour Eif-fel ! Cela me paraissait incroyable ; une sorte de conte de fées... Comment était-il possible que j'en sois arri-vée là, moi qui suis née au pied des montagnes

Rocheuses, à vivre ce moment paroxystique avec le symbole universel de la Ville lumière sous les yeux ? Qu'est-ce que j'en avais rêvé, adolescente, de la tour Eiffel ! Quand, au lycée, ma prof de français montrait à la classe des photos de Paris, je lui demandais si elle avait vu tout cela de ses propres yeux. L'Arc de triomphe, vraiment ? Le Moulin-Rouge ? Le Louvre ? Et quand elle répondait que oui, j'aurais pleuré de jalousie...

As-tu eu une époque « touristique », au tout début, quand tu es venue vivre à Paris ? Moi qui ne pensais y rester qu'un an, je marchais partout, je visitais tous les quartiers, presque toutes les rues, persuadée que je ne les reverrais plus jamais. Théâtres, parcs, musées, concerts : je consommais tout sans discrimination, me disant (comme se le disent les Américains) que j'étais en train d'acquérir de l'« expérience ». Curieusement, je ne pense pas que, même à l'époque, j'aie été francophile. Je n'essayais pas d'apprendre l'histoire de la culture française ni l'histoire française tout court, de comprendre à quelles institutions politiques correspondaient ces magnifiques bâtiments qui s'appelaient le Palais de Justice ou l'Assemblée nationale (tout était également magnifique, du reste, depuis le Trocadéro jusqu'au Sacré-Cœur ; c'est seulement plus tard que j'ai compris qu'il fallait trouver certains monuments de mauvais goût). Je crois que ce qui me subjuguait, c'était le *monumental* à l'état pur, une sorte d'intensité produite par la superposition de plusieurs siècles sur les mêmes lieux.

Ces années-là, les premières à Paris, je tenais aussi un journal intime. En fait, j'en tiens un depuis toujours, mais à ce moment-là il était assez singulier. Pendant ma grossesse l'an dernier, j'ai voulu relire tous ces cahiers disparates afin de faire une sorte de bilan de ma vie « entre vierge et mère ». (Et quel moyen ai-je trouvé pour les relire ? Tu l'as deviné... je les ai tapés — près de mille pages de bavardages de jeune fille ; la preuve que la machine à écrire n'a rien de névrotique pour moi !) Le journal commence en 70, en anglais, avec des entrées irrégulières, des bribes de poésie et d'états d'âme. Treize ans plus tard, il est entièrement en français et il a à peu près le même contenu, la poésie et la jeunesse en moins. Mais au milieu, vers 73-75, il y a eu un crescendo spectaculaire : je remplissais souvent dix à quinze pages par jour avec mes impressions détaillées de Paris, des gens que je rencontrais, des idées nouvelles qui m'enthousiasmaient…, et c'est précisément l'époque à laquelle s'est opéré mon changement de langue. Les entrées sont tantôt en anglais, tantôt en français ; parfois la langue change d'un paragraphe à l'autre, voire à l'intérieur de la même phrase. Le processus de mutation est presque physiquement sensible à chaque page.

L'un des effets de cette mutation, c'est que les italiques ont peu à peu, elles aussi, changé de bord. Avant, c'étaient les expressions françaises dans un texte anglais que je soulignais consciencieusement, et maintenant c'est l'inverse. Autrement dit, dans les pages que j'écris maintenant, ce sont les mots de ma langue maternelle qui sautent aux yeux, eux qui sont mis en valeur, eux dont le caractère exotique est systématiquement pointé. Ne trouves-tu pas que c'est un peu… bizarre ?

J'ai hâte que tu me parles de l'Algérie : de ton image de la France pendant que tu vivais là-bas, de tes amours et tes haines toutes faites à propos de ce pays. Paris devait représenter pour toi tout sauf la Ville lumière… et être représentée par tout sauf la tour Eiffel !

NANCY.

Lettre VII

Cargèse, le 23 juillet 1983

Nancy,

Les cloches de l'église latine ici sonnent plusieurs fois par jour et je ne réussis pas à identifier d'après le rythme la raison de la volée. La messe, c'est le dimanche matin à 10 heures un dimanche sur deux ; un mariage ? un baptême ? le glas. Je reconnais le glas, pas le reste. Donc elles sonnent et j'aime les entendre. Il me semble que celles de l'église grecque (ce village a été peuplé au XVIIIe siècle, je crois, d'une colonie grecque descendue de la colline quand les conflits avec les Corses se sont apaisés) ne sonnent pas. Le son vient plutôt de l'église blanche, la latine qui lui fait face. Si je le pouvais, je t'écrirais des bancs de l'une des églises qui ouvrent chacune sur une terrasse terreuse plantée de micocouliers, et chaque terrasse surplombe des jardins privés, jardins potagers avec grenadiers, figuiers et roseaux qui descendent vers le cimetière marin et le port.

Mais voilà. C'est dans un café que je t'écris. Pas de la maison. Elle est grande et vide, je n'y ai pas de coin à écrire et elle est pleine d'enfants. Et ce café, je ne l'aime pas. Non qu'il soit laid, il est plutôt inhospitalier. Tenu par des Corses qui haïssent les touristes

37

dont ils vivent largement, et les Français en particulier, qu'ils appellent les *Pinsouts*. C'est le seul lieu où j'ai trouvé une table et pas trop de bruit, sauf les injures dans la langue corse qui ressemble à l'italien mêlé de français et qu'ils articulent dans la haine.

C'est une position bizarre de se trouver dans un village de la Méditerranée, cerné entre la mer et les collines dans des odeurs de maquis, de retrouver, *presque*, ce que depuis tant d'années j'ai renoncé à aller chercher sur les lieux de l'enfance ; et malgré cette géographie favorable, de me sentir à ce point à l'étranger, dans un pays étranger et xénophobe, et d'être mal parce qu'on y fait sentir que les Français et les Arabes ne sont pas chez eux… Je le sais, que je ne suis pas chez moi. Moins, bien sûr, qu'à Paris. Métisse. Je me dis, Paris : Paris existe et heureusement. Je ne vivrais jamais ici, l'exil dans ce pays me ratatinerait. Tu me demandes de parler de Paris, de la France. Aujourd'hui je sais que je ne vivrais pas ailleurs qu'à Paris. Je le sais définitivement, et je t'ai déjà dit à quel point j'ai du mal à quitter cette ville. Je le fais sous la contrainte, et pourtant je ne peux même pas dire : « J'aime Paris. » Je ne suis pas sûre d'aimer Paris. C'est une ville que je connais mal et que je n'ai jamais cherché à connaître ni à découvrir. Difficile de dire pourquoi. Je savais, petite, que la France, le pays de ma mère, était aussi le mien, et nous allions tous les deux ou trois ans — c'était un long voyage taxi-train-bateau-train-taxi — dans un petit village français chez le père de ma mère, en Dordogne au bord de la Dronne. On restait là sans bouger beaucoup, et je n'ai pas vu de grande ville de France pendant toutes ces années, jusqu'au moment où les hasards de la passion m'ont conduite loin d'Algérie, loin de France, avec arrêt provisoire dans une ville et peut-être Paris, mais ça ne m'intéressait pas que ce soit Paris. Quand je suis venue vivre en France, à Aix-en-Provence avant Paris, j'allais à Paris mais je ne regardais rien, je ne visitais rien. Paris était n'importe quelle ville mais surtout la ville où je retrouvais quelqu'un que j'aimais. La ville, le pays, la géographie importaient si peu. Longtemps, Paris comme PARIS n'a pas compté. Je savais bien, comme toi du Canada, que Paris était la ville où presque tout se passait, la ville CAPITALE de la France... Mais je ne pensais pas y vivre. Chez moi, personne ne parlait de Paris. Ni ma mère, ni mon père. La mythologie PARIS n'existait pas dans la parole familiale. La mythologie FRANCE, oui. Quand je suis venue y vivre, c'était Paris, la ville où je resterais, moi qui étais née dans un village des hauts plateaux algériens, Aflou, dans l'école de mes parents. Ce hasard me surprend encore. Je ne suis jamais restée à Paris en touriste. Je suis d'une ignorance scandaleuse sur tout ce qui fait de Paris, Paris. Son histoire, ses histoires, ses quartiers, ses monuments... Je ne sais rien. Je ne connais rien. Je n'ai jamais fait le moindre effort. J'ai eu tellement froid que je n'ai pas vu Paris. Je marche pourtant dans cette ville, mais presque toujours la tête dans les épaules ou les yeux au sol... Il fait trop froid. Mais je regarde. Je regarde ce qui se passe. Pas les lieux — encore qu'un peu plus maintenant —, les personnes. Je peux traîner pendant des heures en vagabonde, comme si j'étais absolument oisive. C'est aussi ce que j'aime dans le métro: m'arrêter, regarder, écouter. Ce que je ne fais pas ici à Cargèse, où je suis en somme en visite. Le café est vide. Les hommes parlaient de mon cahier intime que je remplissais avec sérieux, et ils sont partis. C'est calme. Je peux poursuivre mais il est tard. Les enfants bouchent l'entrée du café. Ils viennent chercher celle qui les nourrit. Je ferme le cahier. J'y vais. Je te parlerai de la Dordogne, à toi, Berrichonne d'adoption et à qui ces sonorités conviennent si peu.

Impossible de poursuivre pendant tous ces jours. Même pas dans ma tête. C'est vraiment la VACANCE et ça me pèse au bout d'une semaine. Voici la fin de la troisième semaine. Je reviens à Paris où je peux avoir l'impression d'être moins vide, moins végétale. Quand je pense que des personnes bien intentionnées continuent à se demander, d'un air docte et très gravement, pour quelle raison les femmes ont si peu créé alors que les hommes... Elles l'apprendront à leurs dépens ou aux dépens de leurs descendants mâles... Pourvu que les femmes consentent à ne pas se laisser enfermer dans les maisons et les enfants sans forcément se mutiler dans le renoncement malheureux à la maison, aux enfants, à leur corps maternel féminin.

Tenir l'équilibre, négocier tout le temps, être vigilante pour ne rien perdre de soi, des autres qu'on a faits, de l'autre, du lien quotidien domestique, des gestes... Parfois on se dit qu'on va rester couchée, qu'on ne va plus se lever, que le devoir maternel, familial ne sera plus devoir, que la morale du partage, du service..., qu'on brade tout ça. On se le dit, on ne le fait pas, on en souffre si rien n'existe à côté, une zone secrète, autonome, où on ne soit pas en exil de soi-même. Parce que j'aimerais qu'on parle aussi de ces autres exils où nous sommes, tant que dure l'histoire des femmes.

Tu vois, encore une fois, je dévie. Je voulais parler de la Dordogne, puis j'avais pensé en commençant la deuxième lettre m'attarder sur les Corses, et voilà que je m'engage sur nos exils féminins. Je reviens aux Corses, malgré tout, puisque je suis encore à Cargèse et seule devant mon cahier sur lequel j'ai sauté dès que la maison s'est vidée et que la petite table ronde de l'immense pièce vide s'est libérée. La table est au milieu, toute seule, et je suis étonnée d'écrire dans de telles conditions, avec tant d'espace autour, tout autour, c'est peut-être parce que je t'écris en urgence et que, comme dans les situations de crise, tout est possible. C'est peut-être aussi l'anonymat de la pièce, sa neutralité qui m'aident ce matin. Donc, les Corses de Cargèse ne sont pas tout à fait des Corses, puisque pour la plupart descendants de Grecs et d'Italiens, et de plus, ils habitent le littoral. Or, tout le monde dit que le CORSE est un montagnard, et c'est vrai que la mer quittée, c'est aussitôt la montagne avec les Corses authentiques, de souche, pas mélangés, les purs qui n'ont jamais fait un pas hors du village natal. Combien en reste-t-il ? Ceux-là peuvent à raison se dire corses ; les autres... Ils sont le produit de mélanges déjà anciens, avec — outre les Grecs et les Italiens — les Sardes et les Français... Les Arabes, ils sont trente mille dans un pays de deux cent à deux cent cinquante mille habitants ; s'ils font souche ici, c'est entre eux. Ce qui m'inquiète donc, c'est cette xénophobie des Corses qui n'en sont pas. Quelle est la règle ? Une mère corse, comme pour les Juifs ? Un nom corse mâtiné presque toujours d'italien, transmis par le père même s'il a épousé une Marseillaise ou une Alsacienne ?... Ce qui m'inquiète encore plus dans cette histoire, c'est ma résistance à reconnaître chez les Corses de la corsité... Un *autre* qui ne m'intéresse pas... Serait-ce que je me suis à ce point assimilée ? Serait-ce que si on se sent en situation d'exclue, ce rejet soudain et inattendu aveugle sur l'autre, empêche de le connaître, de le reconnaître ? Heureusement, je peux justifier mon attitude par le racisme que des Corses, de Bastia à Ajaccio, ont exercé contre des Arabes, allant jusqu'au meurtre, ces dernières années. C'est ainsi que je me rassure sur des réactions qui ne me paraissent pas tout à fait orthodoxes...

Et toi à Urbino ? Etre en Italie pour un travail, dans un projet intellectuel, même s'il n'intègre pas nécessairement des Italiens, il me semble que c'est une manière séduisante d'être ailleurs sans malaise. Et puis, l'italien est une langue si émouvante qu'à l'entendre c'est comme si on était de ce pays où elle se parle, comme dans le pays natal, la langue natale. Je me sens, à en parler, prise d'un désir immodéré d'aller en Italie pour la peinture, les portraits, les paysages... et pour la langue. Pour les Italiens ? Les Italiennes plutôt. J'ai toujours regretté de n'être pas allée là-bas chez les femmes du mouvement ces six dernières années. Je crois qu'elles m'auraient plus séduite que les Françaises. Elles auraient dit tout ce que j'ai pu dire ou entendre dire, mais en italien !... Des femmes proches qui parlent une langue qu'on aime, exotique quand on pense en français. On comprend un peu, pas tout à fait, on est sereine et réceptive, on n'a pas à dire si on est ou non d'accord, pas de tension ni d'agressivité, on est là, on entend, c'est comme une musique quand on n'est pas musicien, on l'écoute sans souffrir des imperfections. J'irai en Italie avant l'Algérie, le Moyen-Orient jusqu'à Jérusalem, et la Chine... Les U.S.A. aussi, quand même.

Je me suis égarée, une fois de plus. Ferdinand m'interrompt pour que je parfume sa laine (il suce son pouce avec un carré de laine en mohair... Léa n'a pas encore de fétiche sale et incongru ?) avec de l'huile odorante du Pacifique. C'est pour lui donner du goût... Il sait qu'il a eu sept ans le 14 juillet et que sa laine, il se l'autorise jusqu'à l'école. Pas après... c'est ce qu'il dit.

Tu es dans le Berry ? J'irai avant la Chine pour la maison de George Sand.

Je t'embrasse,

LEÏLA.

P.-S. Sais-tu quel est l'emblème de la Corse ? C'est une tête de Maure aux traits et au teint mauresques... C'est comique de voir toutes les poitrines mâles, grasses ou maigres, arborer à de lourdes chaînes en or la tête de Maure en or, à l'intérieur du triangle corse en or... Ils ont en commun avec les Arabes d'ai-mer l'or... Pour le reste?

Je m'aperçois à l'instant que la Corse dessinée sur carte a la forme d'une demi-feuille de vigne : voilà, avec la mer, les oliviers, les figuiers et la tête mau-resque emblématique, ce qui me plaît dans ce pays... Pourquoi j'y viens? Parce que je ne vais pas encore là où je voudrais aller.

Lettre VIII

Ardenais, le 12 août 1983

Leïla,

Oui, je suis encore dans le Berry, et qu'est-ce que je me reconnais dans ta description de la VACANCE! La maison s'est remplie peu à peu, nous sommes maintenant sept et je ne sais pas pourquoi dans cette ambiance-là les maladresses se multiplient: je voulais m'enfermer une demi-heure plus tôt pour t'écrire (les heures de l'après-midi où Léa est en nourrice sont précieuses et courtes), et ne voilà-t-il pas que ma main a glissé sur le bouchon mal vissé d'une bouteille qui a immédiatement chuté et répandu dans toute la cuisine la matière la plus écœurante qui soit: du sirop de cassis, une bouteille toute neuve, toute pleine, maintenant fracassée en mille éclats que j'ai dû séparer soigneusement de la flaque sanguinolente collante qui s'insinuait sous tous les meubles et jusque sur la couverture fétiche dans le parc de Léa, qu'il faudra maintenant laver, ce qui lui enlèvera son odeur qui est justement l'odeur du corps de Léa et la raison pour laquelle elle y tient tant. Je ne sais pas ce que je ferais si je n'avais pas le recours du *langage*, des mots qui me donnent au moins une distance ironique par rapport aux catastrophes de la vie quotidienne. (Quelques jours avant son suicide, Virginia Woolf disait la même chose, remarque ; voici la dernière entrée dans son journal intime : « Et maintenant, avec un certain plaisir, je constate qu'il est 7 heures et que je dois préparer le dîner. Du haddock et de la chair à saucisse. Il me semble vrai qu'on gagne une certaine emprise sur le haddock et la saucisse par le fait de les écrire. »)

Je t'écris depuis la chambre de Léa, donc, la seule inoccupée depuis que famille et amis ont envahi progressivement la maison ; je ne suis pas encore habituée à penser à « ma famille » autrement que comme celle, nombreuse, bruyante et bien-aimée que j'ai quittée à l'âge de dix-sept ans avec un sentiment de soulagement immense ; et même si, dans les années qui ont suivi, j'ai souvent souffert de la solitude, j'étais fière de pouvoir me « débrouiller » toute seule, de choisir les gens avec qui je passais mon temps (je me souviens d'une interview de Simone de Beauvoir dans laquelle elle déclarait n'avoir pas voulu d'enfant parce que ç'aurait été l'unique relation de sa vie qu'elle n'aurait pas *choisie* en connaissance de cause)... Après presque dix années de relations choisies, je suis sidérée par moments de me retrouver plongée dans cette réalité familiale, cette confusion et ce brouhaha que j'ai mis tant d'énergie à fuir ; je mets la table pour sept exactement comme pendant toutes les années d'enfance (pourquoi est-ce que c'était toujours moi qui mettais la table ?), et mon habitude un peu spartiate, un peu ascétique de me lever tôt le matin a pour unique résultat que c'est aussi moi qui vide la machine à laver la vaisselle, avant que les autres n'émergent pour prendre le petit déjeuner.

Tu comprendras que je ne me plains pas réellement ; tu sais à quel point je suis plus heureuse maintenant que quand nous nous sommes connues ; tu sais aussi qu'en « bonne féministe », je n'aurais pas pu vivre avec quelqu'un qui n'aurait pas assumé *au moins* la moitié des charges domestiques et familiales ! Il n'en

45

reste pas moins que M. et moi à cet égard, ce n'est pas pareil ; par exemple quand les voisines s'étonnent de ce que, «même en vacances», on mette notre enfant en nourrice, c'est moi qui suis visée et non pas lui... A Paris, au moins, j'ai mon lieu — la «zone secrète et autonome» dont tu parles —, et même si cela veut dire que je fais un peu plus de courses et de ménage, ça me permet aussi de perpétuer les avantages du célibat : vivre selon son propre rythme, manger simplement, téléphoner, ou écouter des disques, ou faire du yoga, *sans témoins* ; je crois que, pendant longtemps encore, l'autonomie des femmes aura ce caractère un peu défensif.

A propos d'autonomie, ta description des Corses m'a laissée rêveuse. Je n'ai jamais pu me faire une opinion sur les mouvements autonomistes en France (la Corse, la Bretagne, le Pays basque...) ; pourtant la situation du Québec, dans mon propre pays, n'est pas si différente... Il y a eu, bien sûr, de l'intermariage entre Canadiens français et anglais, et bon nombre de mots d'anglais ont été adoptés et adaptés par la langue québécoise (bien plus que dans ce que les Français décrient en l'appelant le franglais)... Il n'en reste pas moins que je vois un sens aux revendications autonomistes des Québécois, surtout quand elles sont assorties d'un discours politique plus nuancé que celui des Canadiens anglais (calqué, lui, sur les postes et les ripostes que peuvent leur offrir les Américains)... Mon frère, qui vit au Québec depuis quinze ans et qui parle le français comme un Québécois, a milité pendant un certain temps pour l'indépendantisme et écrit des articles en sa faveur ; il est étonnamment intégré à ce milieu en général hostile aux «maudits Anglais»...

Les gens trouvent très comique de nous entendre, mon frère et moi, parler français ensemble avec des sonorités si différentes. Et — chose étrange — nous ne nous parlons et ne nous écrivons, effectivement, *qu'en français*. Cela s'est fait sans concertation aucune et malgré des itinéraires dissemblables : nous avons fini l'un et l'autre par nous exiler presque totalement de notre langue maternelle et par ne plus nous sentir à l'aise pour nous exprimer que dans ces deux langues étrangères qui s'appellent toutes deux, par les hasards de la géographie et de l'histoire, le français. Nos frères et sœurs ont appris le français à l'école et le parlent plus ou moins bien, mais nous en avons fait notre instrument de choix (c'est bien plus important que de pouvoir choisir ses enfants !). Lors des réunions de famille, nous nous réfugions dans ce territoire privé, à l'abri de l'écoute des autres, quand nous avons des choses « importantes » à nous dire.

Bref... j'ai pu sentir chez les Québécois quelque chose d'analogue à ce que tu dis des Corses, bien qu'à un degré infiniment moindre : il m'est arrivé, par exemple, d'être présentée par une Québécoise à d'autres Québécoises avec les mots : « Elle est anglaise, mais elle est bien », et de sentir ce malaise dont tu parles, d'appartenir à une population dominante et détestée. Mais le Québec n'est pas une île et, contrairement à la Corse, il accueille les immigrés à bras ouverts, encourageant leurs enfants à apprendre le français plutôt que l'anglais, maintenant que la croissance démographique ne suffit plus pour garantir l'importance numérique de la population francophone... La langue est une question brûlante là-bas : la première fois que mon frère est venu en France, il s'est senti soulagé de pouvoir ouvrir la bouche et parler dans les magasins, les restaurants, les bibliothèques, sans que son choix de langue traduise une opinion politique !... Et moi, j'ai laissé ces problèmes derrière moi en choisissant de m'installer à Paris... Ou plutôt, je les ai transformés en problèmes purement personnels.

Et voilà, c'est déjà la fin de l'après-midi ; tu blâmeras le sirop de cassis si cette lettre ne contient pas de récit sur Urbino.

Je t'embrasse, toi qui dois connaître cette manière qu'a le réel de te coller aux semelles, juste au moment où tu voudrais en décoller...

NANCY.

Lettre IX

Paris, le 15 août 1983

Nancy,

Je n'ai pas la patience d'attendre ta réponse à la lettre de Cargèse qui a peut-être mis deux semaines à te parvenir, des Rosiers aux Filles-du-Calvaire, puis au Berry, et si tu n'y étais plus, le même trajet en sens inverse... Donc, je ne sais pas si tu l'as reçue et je t'écris une lettre de plus, ou une lettre d'avance, parce que j'ai besoin, aussitôt de chez moi où je suis seule, de ma table sur laquelle j'ai retrouvé ta belle carte de l'oncle Tom dans un champ de coton, de te raconter un violent retour de mémoire qui m'a précipitée sur les pages quadrillées de mon journal intime..., et là, tout de suite pour t'écrire sur ce papier pelure.

Je ne sais si tu connais le parc de Bagatelle. C'est un parc de la ville de Paris, du côté de Boulogne, dans des quartiers qui ne sont pas les miens ni les tiens et où j'aime aller tôt le dimanche matin. Les iris n'étaient pas fleuris et il n'y avait presque plus de roses à la roseraie. A l'ombre des platanes on peut manger à midi. C'est beau et calme comme sur une carte postale de la fin du XIXe siècle ; deux paons qui picorent des miettes se promènent sur les pelouses alentour. Je regardais ce paysage réel, de restaurant en plein air, pensant à Proust et à ses dîners. Je vois, assise à une table, un enfant en face d'elle, une femme que je reconnais aussitôt, à son long visage à la fois grave et pensif, plus long que celui que j'avais connu et un peu empâté. Je n'ai pas vu d'autres visages de cette forme-là depuis le sien. Je me dirige vers elle. C'était elle. Je lui dis bonjour et bonjour à son fils. Elle dit : on peut s'embrasser... Je sais que tu n'es pas très embrasseuse... Elle s'appelle Andrée et je l'ai connue à Blida, avant l'indépendance de l'Algérie. Je te parle d'elle, parce que j'ai retrouvé cet air absent que j'ai remarqué depuis sur les visages de ceux qui ont l'air de ne pas vous reconnaître. C'est maintenant que je comprends que cet air qui m'intriguait, je le recevais une fois de plus dans son ambiguïté : un air qui rend intéressant, parce qu'il rapproche des mystiques et des fous hors de la norme et du conformisme, un air qui dit que l'autre n'existe pas, qu'on ne lui reconnaît pas une existence, une place. Elle avait toujours l'air de vivre autre chose, ailleurs, en même temps qu'elle était là ; et être avec elle, c'était risquer de ne pas être vue ni reconnue, et attendre donc, dans la naïveté des treize ans, d'être regardée, embrassée, fêtée. Je te parle d'Andrée car elle figurait pour moi à Blida, en Algérie, un monde que je haïssais par principe politique parce que mon père était communiste, un monde qui me fascinait parce que je savais que si je m'en excluais, c'est qu'il m'excluait aussi : j'avais du sang arabe et mon père n'était pas caïd, ni bachagha ; il ne possédait ni terres à blé, ni fermes, ni commerces, ni sociétés d'import-export... Il était — comme Mouloud Feraoun, son ami, et d'autres instituteurs que j'ai connus et admirés, enfant — un instituteur du bled, un instituteur des cités musulmanes, des quartiers arabes, des écoles indigènes. Mon père ne possédait même pas sa maison... Nous avons toujours habité la maison d'école au jardin clôturé, derrière la vaste cour grillagée. Et tu vois, je n'ai pas quitté l'école, ni le livre... parce que je savais bien que ces filles que je rangeais par commodité dans la catégorie «filles de colons», c'est-à-dire Européennes à part entière, sans mélange, chrétiennes et riches, étaient en général incultes et presque analphabètes; elles allaient à l'école et au lycée, mais ça ne comptait pas vraiment; on les élevait comme à l'époque féodale, me semblait-il; elles sauraient le nécessaire, quelques arts d'agrément, comment tenir et diriger une maison, comment recevoir. Elles apprendraient les éléments d'un code qu'elles appliqueraient au mieux et pour le bien du mari, de la famille et du clan... Exilée dans la maison d'Etat où on logeait les instituteurs sans biens, les «filles de colons» ne m'invitaient pas et je n'avais pas l'idée de les faire venir chez moi sans cérémonie. Fille d'un père en exil dans la culture de l'Autre, du Colonisateur, loin de sa famille, en rupture de religion et de coutumes, fille d'une mère en exil géographique et culturel — ma mère avait quitté dans le drame une famille d'agriculteurs de Dordogne pour suivre un Arabe dans un pays lointain —, j'ai hérité, je crois, de ce double exil parental une disposition à l'exil, j'entends là, par *exil*, à la fois solitude et excentricité. Mes parents, dans leur école de garçons indigènes, vivaient en privé, coupés de toutes les communautés. Sauf s'ils étaient instituteurs ou du métier, nous n'allions pas dans des familles juives, ou arabes, ou européennes... On vivait donc dans un lieu clos, institutionnel et en marge, dans une sorte de communauté curieuse, républicaine et laïque, parce que — tu le sais, je pense — je n'ai été comme mon frère et mes deux sœurs élevée dans aucune religion. Ma mère catholique, fille d'un radical-socialiste, ne pratiquait plus sa religion depuis longtemps et mon père, inscrit au P.C.A. (parti communiste algérien), comme beaucoup de ses contemporains algériens et intellectuels, ne suivait plus la religion musulmane dont il avait appris les principes à l'école coranique et dans la maison de sa mère. Cette mise à l'écart consciente m'a exclue encore davantage des Autres qui, eux, pratiquaient : musulmans, chrétiens, juifs. Lorsque je disais que je ne croyais pas en Dieu, on ne me croyait pas. On ne concevait pas que je vive sans église, sans maison de Dieu, sans règles religieuses. Etre à ce point mécréante provoquait la méfiance. Je n'exhibais jamais mes croyances et mes incroyances, mais j'étais ferme lorsqu'on me le demandait, sur ce que je croyais et ce que je ne croyais pas, je ne mentais pas, je ne cherchais pas à me protéger. Je suis étonnée encore aujourd'hui de la permanence de ma mécréance. Je ne me suis jamais pour moi-même posé la question de Dieu, jamais. Pourtant je pense que j'ai une âme... et je crois aux belles histoires et à tous les signes lyriques... Ainsi, pour en revenir à Andrée, qui m'a tourmentée longtemps sans le savoir, je rêve encore de ces « filles de colons », je la voyais toujours à l'aise dans une petite bande, un peu jeunes filles en fleurs aux colonies. Elles avaient les charmes et la grâce naturelle que donnent les privilèges reconduits de génération en génération. Moi, je lisais seule, toujours et partout, elles lisaient aussi, mais ensemble, et je les entendais parler avec passion de ce qu'elles avaient lu, ou vu, ou entendu. Elles lisaient, elles allaient au cinéma, au théâtre, au concert, dans les fêtes ensemble. Elles se racontaient les unes aux autres des scènes qui les faisaient rire, elles riaient beaucoup d'un rire joyeux et complice... Parmi ces « filles de colons », les amies d'Andrée ne ressemblaient pas aux autres, elles ne bavardaient pas, elles discutaient..., elle étaient aussi intelligentes que moi mais je n'étais pas de la bande, elles ne m'invitaient pas à partager les livres, les fêtes, les parties de tennis, ni même leurs disputes intellectuelles, sur le muret, en haut des escaliers, dans la cour du lycée de Blida. Elles ne s'habillaient pas comme les autres dans le conformisme de la mode qui arrivait outre-mer par les journaux de France auxquels les mères de famille s'abonnaient aussitôt qu'elles voyaient : France-Colonies : 200 francs... pour *Mode de Paris*, ou *Elle*, ou *Modes et Travaux*. Elles avaient une manière vestimentaire qui les distinguait des filles qui portaient toujours ce qu'il fallait, quand il fallait, et toujours cher. Andrée me parlait, mais le plus souvent dans les creux, lorsqu'elle était seule et que ses amies ne l'avaient pas encore rejointe... C'est peut-être à ce moment-là qu'elle retrouvait cet air absent que je lui ai vu, à nouveau, ce matin dans le parc de Bagatelle, à la petite table d'osier où elle finissait de payer l'addition. Il lui restait de la jeune fille en fleurs des colonies de larges yeux qui se fixent par instants et l'air absent comme si elle ne savait plus que j'étais là ni qui j'étais. Pour le reste elle a vieilli comme moi et un peu grossi. Elle m'en a peut-être voulu de l'aborder, elle ne se sentait pas en beauté dans une robe vague trop large et sans charme. Je me suis demandé comment elle m'a vue. Je ne suis pas sûre qu'elle m'ait vue d'ailleurs, mais je sais que ce que j'écris, elle ne pourra jamais l'écrire... Elle m'a dit avant de partir, tirée par son fils impatient, qu'elle avait failli, il y a quelques mois, émigrer au Canada... Peut-être le fera-t-elle ?

Tu vois comme j'ai été secouée... Il m'a fallu t'en parler et c'est à toi que je l'écris un peu comme à moi cette fois-ci, en confiance et en confidence. C'est ce que j'aime dans cet échange de lettres : pour la première fois, me semble-t-il, depuis ces sept années de fidèle compagnonnage dans le travail du côté des femmes, je trouve une manière de parler avec toi, par lettres, sans contrainte, malgré la contrainte première que nous nous sommes imposée de nous écrire ces lettres parisiennes interrompues dans la géographie par le Berry, la Corse, la Dordogne et pour toi les U.S.A. Dominique me dit tout le temps que je *dois* aller aux U.S.A. ; il dit qu'il m'enlèvera pour m'emmener là-bas, de force.

Peut-être cette lettre brusque croisera la tienne? J'aimerais que tu me parles des Américaines en exil à Paris dans les années vingt-trente, et moi je te parlerai d'Isabelle Eberhardt.

LEÏLA.

Lettre X

Ardenais, le 25 août 1983

Chère Leïla,

Je suis absolument seule aujourd'hui dans cette maison, je crois que c'est la première fois que ça m'arrive; le contraste avec le surpeuplement des semaines précédentes est saisissant. Je me sens un peu comme un personnage de Duras: Vera Baxter ou Nathalie Granger, une de ces femmes qui vit seule, on ne sait trop de quoi, dans une maison à l'écart de toute civilisation. A midi, alors que je donnais à manger à Léa, j'ai entendu frapper à la porte et une voix d'homme grommeler: «Y a quelqu'un?» J'ai sursauté comme sursautent les femmes dans *Nathalie Granger*: malades de peur à force d'avoir trop écouté les bulletins de radio sur le tueur qui rôde dans la forêt alentour, elles ouvrent la porte et ne découvrent qu'un commis voyageur souhaitant leur vendre une machine à laver. Moi, je n'ai vu qu'un facteur, titubant sous le choc d'un accident de voiture: «Comprenez-vous, madame, m'a-t-il dit d'une voix outrée, votre voisin, il a tendu un *fil de fer* en travers de son chemin, alors je suis rentré dedans en faisant marche arrière et je suis tombé dans le fossé!»; titubant aussi sous l'effet de l'alcool qu'il avait consommé depuis 9 heures du matin (et ceci explique sans doute cela, puisque c'est au moins la troisième fois qu'il tombe dans ce fossé)… J'ai tenté de le rassurer, sans être très rassurée moi-même, et l'ai orienté vers la maison suivante où il risquait de trouver des bras forts.

Ensuite j'ai emmené Léa chez sa nourrice. La grand-mère de celle-ci est là en ce moment ; elle trouve ma fille très sympathique mais c'est patent qu'elle me trouve, moi, scandaleuse. Elle ne cesse de me jeter des regards désapprobateurs (je suis sûre que je ne fabule pas) et de faire des petites remarques du genre : « Comme ça, elle a deux mères, votre fille ! » ; sous-entendu : « De mon temps, c'était impensable des choses pareilles, qu'une mère abandonne ses enfants à une autre femme — et pendant les vacances, en plus ! » De plus en plus souvent, je me fais la réflexion que la maternité est un immense réseau de culpabilisation tous azimuts : « Nous en avons bavé, nous nous sommes sacrifiées, il est donc normal que vous en baviez à votre tour — voyez ce que c'est, ce n'est pas de la tarte, hein ? On croit que c'est bien mignon les petits enfants, mais après il faut assumer ses responsabilités, et adieu la jeunesse… ! » De nos jours, ce raisonnement est évidemment plus répandu à la campagne qu'en ville. La coiffeuse du village à côté, qui vient de la « région parisienne », se plaignait l'autre jour de ce que les femmes d'ici, une fois mariées, ne cherchent plus du tout à suivre la mode, à séduire, à se faire belles ; la vie s'arrête pour elles à vingt ans et elles se sacrifient pour leurs enfants… qui en baveront plus tard… etc.

Ton évocation d'Andrée m'a émue : parce que c'est la première fois que tu me parles de manière concrète de ce qu'a été ta vie d'enfant en Algérie, mais aussi parce que ça m'a rappelé mes propres malheurs de petite fille, mon sentiment d'exclusion et de solitude. Dans le mouvement des femmes, on a souvent ridiculisé la « camaraderie masculine », mais on a rarement voulu se souvenir de ces détestables bandes que créent les petites filles. Y appartenir ou non, ça peut dépendre de facteurs ethniques et politiques, comme c'était le cas pour toi à Blida, ou bien de critères plus sournois, insaisissables : le vêtement, la performance scolaire, la capacité de flirter ou de transgresser les règles... Tout cela m'a fait quotidiennement souffrir entre, disons, sept et quinze ans, et c'est sûrement l'une des raisons de ma passion pour les livres. Là, au moins, les êtres à qui je vouais une admiration sans bornes étaient disponibles ; ils se donnaient à moi, quand et comme je le voulais, sans me juger et sans me demander de comptes.

L'autre refuge important pour moi pendant ces années-là, c'était la religion. Mais c'était une religion tout aussi hybride que l'est ma vie familiale actuelle (je m'aperçois seulement à la faveur de ces lettres que j'ai toujours été dans, non pas l'exil, mais l'*éclectisme*). Ainsi, à la différence de toi, je n'ai pas eu une éducation sereinement athée. Mon grand-père paternel était pasteur, pour commencer ; la sœur de mon père était missionnaire au Népal, et ces deux parangons de la vertu chrétienne pesaient lourdement sur mon père. Ma mère était protestante elle aussi, mécréante depuis longtemps, je crois ; toujours est-il qu'elle avait été élevée dans une secte différente de celle de mon père. Donc quand ils se sont mariés, ils ont fait une sorte de « compromis » : la cérémonie s'est tenue à la très libérale et moderniste église unitarienne, et c'est là que, au fil des ans, leurs trois enfants ont été baptisés.

Bon. Mais quand j'ai eu six ans, mes parents ont divorcé. Ma mère est partie (elle a longtemps vécu à l'étranger : d'abord les U.S.A., ensuite l'Espagne, l'Angleterre) et mon père a épousé une Allemande (je me rends compte, à écrire cette phrase, que dans ma vie ce sont les *femmes* qui ont d'abord incarné l'exotisme, l'européanisme, la possibilité du « vivre ailleurs »). Or cette Allemande, bien qu'originaire du nord de l'Allemagne, était catholique. Très catholique. Fervente.

Elle avait même voulu, adolescente, devenir bonne sœur. Quand je pense qu'en épousant mon père elle a non seulement d'un jour à l'autre acquis trois gosses passablement perturbés, mais perdu son Eglise (sont excommuniés ceux qui épousent des divorcés), je me dis qu'elle devait être drôlement amoureuse. Pour personne au monde je ne renoncerais, moi, à ce qui me tient lieu d'Eglise maintenant, à savoir l'écriture... Mais c'était une autre époque et les femmes étaient plus portées sur le sacrifice...

Bref, pendant que le divorce se déroulait au Canada, cette Allemande qui allait devenir ma deuxième mère m'a emmenée, avec ma sœur cadette, en Allemagne. Expérience décisive pour moi, car c'est là que j'ai appris ma première langue étrangère — le vertige de sentir deux idiomes se côtoyer dans ma tête ; et c'est là que j'ai trouvé la foi. Mes souvenirs des messes de Noël — cathédrales somptueuses et sombres, voix vibrantes chantant la gloire de Dieu, encens, robes de prêtre filées d'or et d'argent — sont ineffaçables. Leur effet a été terrible. J'étais subjuguée. Je me suis rendu compte que ma vie jusque-là avait été une immense erreur. La vallée de l'Ombre de la Mort. J'ai commencé alors une conversation angoissée, propitiatoire avec Dieu, qui devait durer des années...

De retour au Canada, j'ai assisté au mariage de mes parents. La cérémonie a été présidée cette fois-ci par mon grand-père pasteur, mais par la suite un nouveau « compromis » a été décidé : à mi-chemin entre l'Eglise unitarienne et l'Eglise catholique, il y avait... l'Eglise anglicane ! Les trois enfants ont donc été baptisés derechef et une véritable routine religieuse s'est installée à la maison. Chaque jour avant le repas, nous disions la bénédiction, les mains jointes en cercle autour de la table. Chaque matin, *après* le petit déjeuner, nous tenions une sorte de mini-messe familiale : lectures de la Bible, prières individuelles et collectives, cantique de clôture. Et chaque dimanche, nous allions à l'«école du dimanche» — ce qui n'est pas la même chose que le catéchisme; pour plus de détails, voir *Tom Sawyer*, qui donne une bonne idée du supplice qu'on devait endurer pendant une heure et demie.

A la vraie école les autres jours de la semaine, on nous assenait le «Notre Père» chaque matin entre le «Bonjour à la maîtresse» et l'hymne national, et les choses s'arrêtaient là. Mais je me souviens d'un échange pénible, avec une fille qui faisait partie d'une de ces bandes qui me snobaient... «De toute façon, me dit-elle, ta mère est catholique.» Etre catholique, c'était mal vu dans cette ville très protestante. Malheureusement, être enfant de parents divorcés était encore plus mal vu, donc je ne pouvais pas répondre que ce n'était pas ma mère. Alors j'ai dit: «Oui, mais elle est catholique *romaine*. — C'est pareil! — Non, c'est pas pareil, c'est presque comme les protestants!»

Vers l'âge de douze ans: catéchisme, confirmation, communion; j'ai suivi ce parcours sans jamais le prendre très au sérieux. Le mystère de la transsubstantiation ne m'intéressait guère à cette époque où mes principales préoccupations étaient d'avoir de bonnes notes à l'école et de plaire aux garçons en dépit de ces bonnes notes. L'Eglise m'a définitivement déçue le jour où je me suis confessée pour la première et la dernière fois, et où je me suis aperçue que le prêtre, distrait, n'écoutait même pas la litanie sanglotée de mes méfaits. Mais j'ai continué de croire en Dieu jusqu'à mon premier cours de philosophie à l'âge de dix-sept ans. Là, grâce à Platon, Aristote, Descartes, Kant et Nietzsche — grâce surtout à l'extrême *diversité* de leurs visions du monde qui me semblaient toutes aussi convaincantes les unes que les autres —, la foi m'a quittée. Pendant plusieurs années, par je ne sais quel défi dérisoire, je ne suis tombée amoureuse que de Juifs. Et si je te dis qu'à l'heure actuelle ma belle-mère ne va plus à l'église du tout..., que mon père s'est converti au bouddhisme..., tandis que ma tante au Népal multiplie ses prières pour sauver nos âmes égarées…, tu comprendras ce que je disais au départ sur l'éclectisme.

Je m'en vais la semaine prochaine retrouver tous ces êtres que je viens de peindre comme ils étaient voici vingt ans. Je sens déjà que je me raidis contre le choc. Hormis le vieillissement des uns et des autres, c'est toujours le syndrome de la « nudité du roi » que je redoute lors de ces retrouvailles : nous sommes tous réduits à notre plus petit dénominateur commun, dépouillés de nos vies comme d'un vêtement. Nous avons tant de choses à nous dire que nous ne disons rien ; nous parlons bêtement, dans une imitation maladroite d'un autrefois dans lequel nous n'étions pas encore ce que nous sommes ; et ce qui paraît alors factice, c'est ce que nous sommes devenus. Car après tout, *au fond*, notre « vrai » moi est bien celui, rabougri et ridicule, de l'enfance…, n'est-ce pas ?

NANCY.

Lettre XI

Paris, le 12 septembre 1983

Nancy,

Ta dernière lettre m'a fait rire. Tu as échappé à Dieu et au diable par miracle; leur as-tu échappé vraiment? Tous ces croisements d'Eglises..., ces rivalités de clans religieux, fanatiques, totalitaires... Au moins possèdes-tu les éléments d'approche indispensables pour essayer de comprendre l'Irlande du Nord ou le Liban... A moi, païenne contaminée par la géopolitique, ils me manquent, et je suis muette ou stupide à la lecture des années de massacres en série au Liban. Voilà un pays où les langues, les religions, les ethnies différentes dans leur multiplicité n'ont en rien favorisé le métissage, le croisement pacifique..., au contraire. On parle en ce moment de plus en plus de société multiculturelle, multiraciale dans plusieurs pays européens, mais que se passe-t-il lorsque des communautés ne s'assimilent pas suivant les désirs de l'Etat, du pays d'accueil, lorsque les jalons de l'intégration sont refusés ou lorsqu'ils manquent par inertie? L'exemple de Dreux est inquiétant pour la France et une gifle aux vœux pieux de la gauche au pouvoir. Contre les immigrés, la droite et l'extrême droite gagnent; alliées, elles sont plus fortes que la gauche avec ses bonnes intentions et ses bons sentiments sans effet. Les enfants de l'immigration feront violence à la France comme elle a fait violence à leurs pères ici et là-bas. Ils sont sans mémoire mais ils n'oublient pas, je crois. Ils auront, avec la France, une histoire d'amour mêlée de haine, perverse et souvent meurtrière. Ils ne sont pas vraiment de leur pays natal, la France, ni du pays natal de leur père et mère. Ils sont dans des banlieues, ils ont un pays : les blocs et les tours de l'immigration, la pauvre jungle des villes... Que feront-ils ? Pour moi, d'où je les vois, d'où je les entends (je ne vis pas avec eux), je les voudrais inassimilés, singuliers et violents, forts de leurs particularismes et de leur capacité à saisir la modernité... Ils sont ma mythologie, pour une part, j'ose le dire et l'écrire parce que, plus vieille qu'eux de dix ou vingt ans, loin d'eux et de leur pays d'immigration, toujours à distance (je crois que je ne changerai pas cette position malgré des velléités douloureuses), je sais où je suis comme eux, proche et attentive en dépit de l'âge, du privilège d'être établie, de la différence... Pourquoi ce glissement des Eglises, dont je parlais au début de la lettre, aux enfants de l'immigration, alors que je voulais écrire sur tout autre chose ? A cause des points d'interférence plus ou moins explosifs où nous nous sommes trouvés, toi, eux, moi. Des croisements différents, certes, mais combien pesants.

Pour en revenir donc aux Eglises, à la religion, je me rappelle encore une amie d'Algérie, à Alger cette fois, une amie d'adolescence qui m'a longtemps fascinée parce qu'elle était une passionnée de Dieu. Je m'aperçois, une fois de plus, à évoquer Renée, que je suis séduite par le Dissemblable alors que j'ai cru pendant nos années de travail dans le mouvement des femmes que je cherchais du Semblable. La contradiction entre les deux gestes n'est qu'apparente.

Renée était protestante et très théologienne, mais aussi dans le siècle, dans le social, occupée aux autres.

Pour elle, la différence n'était pas un obstacle, au contraire ; non qu'elle ait jamais cherché à me convertir, elle n'avait pas des manières de missionnaire, j'aurais fui... J'aimais ses questions sur la foi, Dieu, la vocation, rien n'était acquis comme je le croyais lorsqu'on est dans le dogme, dans une Eglise. J'ai su plus tard qu'elle s'était convertie au catholicisme et je me demande si elle n'est pas entrée dans les ordres depuis. Au début du siècle, Renée aurait été missionnaire, je pense, comme sœur Teresa à Calcutta et ailleurs où on souffre. Peut-être est-elle devenue mystique, peut-être aussi s'occupe-t-elle d'associations d'immigrés à Marseille... Je te parle de Renée parce que, je pense, elle a préfiguré mon admiration pour certaines femmes de l'Histoire ou dans l'histoire. Des femmes excentriques, en marge, rebelles, guerrières ou aventurières, en exil de leur sexe, de leur milieu social, de leur terre natale, de leur religion..., de leur condition de femme. Pendant longtemps j'ai gardé une chemise en papier vert clair dans laquelle je rangeais à mesure des documents de toutes sortes : coupures de presse, photos, cartes postales, bibliographies multiples, notes de lecture... J'avais inscrit en titre : *Institutrices, guerrières, putains*. Pour les institutrices, ils s'agissait bien sûr des premières institutrices laïques nommées dans des écoles de campagne loin de chez elles. Elles étaient souvent célibataires, comme les guerrières et les putains. Elles avaient en commun, ces femmes, d'être seules, solitaires, des femmes en mission, des femmes à vocation en quelque sorte, et chacune hors d'elle-même, femme et fille. Aventurières de l'école, de la guerre, de l'amour. Des nomades. Des femmes déplacées, en déplacement, toujours d'une école à l'autre, d'un champ de bataille ou d'un maquis rural, urbain à l'autre, d'un bordel à l'autre. Figures centrales, pour moi, de l'excentricité. Parmi les guerrières j'aurais classé les résistantes, les révolutionnaires et les terroristes (russes, allemandes, italiennes, palestiniennes...), et du côté des putains, les courtisanes, les pornographes... Ce préambule pour te parler, tu le sais déjà, et je crois que nous ne nous entendons pas sur elle, de Jeanne d'Arc... et aussi d'Isabelle Eberhardt et d'autres femmes exploratrices, grandes voyageuses, intrépides et extravagantes qui ont habité jusqu'à leur mort d'autres pays que le pays natal, d'autres climats, d'autres religions... Je pense à Aurélie Tidjani, à lady Hester Stanhope ou à Alexandra David-Neel, une orientaliste érudite et mystique, la première Française à pénétrer à Lhassa, au Tibet, en 1924, déguisée en mendiante. Les Anglo-Saxonnes ont été plus audacieuses que les Françaises, me semble-t-il. Je suis sûre qu'on retrouverait des histoires de vie étonnantes d'Anglaises, de Canadiennes, d'Américaines, curieuses jusqu'à l'exil très loin de la maison maternelle. Je ne sais plus où j'ai mis la chemise vert clair où sont serrés les textes et les images qui parlent de ces femmes dont je n'ai pas encore scruté la mémoire et l'histoire. Je le ferai un jour. Elles sont dans ma tête. Jeanne d'Arc...

J'ai le souvenir d'une salle de classe comme je les aime, c'était à Tlemcen, en Algérie, une vaste salle longue et claire qui sent la craie et le chiffon mouillé. Je suis un peu au fond, seule à une table comme souvent, je n'avais pas d'amie inséparable avec qui partager la table et la leçon, et longtemps l'anxiété de chaque heure dans une salle différente sans savoir avec qui j'allais me trouver m'a tenue (je rêve encore que j'entre dans la classe, toutes les places sont occupées, je ne sais pas où m'asseoir et je me retrouve au fond, en retrait, exclue, et personne ne vient se mettre à côté de moi, je suis tout à fait seule et très loin). La femme qui parle de Jeanne d'Arc est une Française de France, jeune professeur diplômée envoyée aux colonies, j'apprendrais plus tard qu'elle vient de la région de ma mère, le Périgord. Elle est petite et ronde, elle parle vite avec un accent du Sud-Ouest, debout au milieu de l'estrade, c'est la guerre de Cent Ans et Jeanne d'Arc. Déjà dans la petite salle de classe à l'école de filles du village où mes parents étaient instituteurs, à Hennaya près de Tlemcen, l'institutrice — une veuve toujours vêtue de gris — avait raconté l'histoire de Jeanne d'Arc et j'avais regardé les images colorées du livre édité chez Fernand Nathan : *Notre premier livre d'histoire*. On voyait Jeanne la bergère, avant Jeanne la guerrière. Elle garde ses brebis et file la laine sous le chêne à l'écart du village lorrain dont on aperçoit le clocher de l'église (présent comme toujours sur les paysages français que je vois dans mes livres, avant de les reconnaître de loin, depuis la gare jusqu'à la maison de mon grand-père maternel au bord de la Dronne, lorsque nous faisons le trajet en taxi, une Peugeot 202 noire comme celle que mon père a achetée en Algérie, sa première automobile...). Jeanne a deux longues tresses blondes, elle ressemble à Blandine la jeune servante de Lyon qui affronte au nom du Christ les tigres, les lions et les lionnes lâchés dans l'arène. Les fauves viennent se coucher à ses pieds. Elle répète doucement : « Je suis chrétienne. » Un taureau furieux, quelques jours plus tard, la perce de ses cornes et Blandine meurt. Mais Jeanne n'est pas ligotée comme Blandine et, à la page suivante, la jeune fille de dix-sept ans a troqué la quenouille et le fuseau contre l'étendard à fleurs de lis et l'épée qui l'attendaient à l'abri d'un tombeau, dans une église de France... Ses cheveux sont courts, elle est vêtue d'une armure qui couvre la cotte de mailles, elle a des gantelets de fer. Lorsqu'elle était paysanne, on voyait ses mains filer la laine, et son visage. La longue jupe recouvrait le corps entier jusqu'aux pieds qui disparaissaient dans l'herbe. La main de fer de la guerrière, soldat de Dieu, chef d'armée contre l'envahisseur anglais, retient le cheval blanc de Jeanne. Elle est jeune, je la trouve belle et émouvante ; j'ai mis à ces pages un signet pour la regarder sans la chercher. Ce qui me captivait, c'était l'écart entre la bergère illettrée, inconnue, et le très juvénile chef de guerre renommé, brillant, audacieux qu'elle devient en si peu de temps, puisqu'elle mourra à dix-neuf ans ; le passage aussi de la jupe et du gilet paysans à l'armure, à la cuirasse lourde et virile qui cache tout à fait le corps et l'interdit, corps de femme, à tout regard. Gilles de Rais, raconte Tournier faisant du Tournier, a cru voir un garçon à leur première rencontre. Il l'aime fanatiquement et sombrera dans la cruauté du diable à la mort de Jeanne. Ses soldats la savent femme et vulnérable ; à cause de la cuirasse ? ou de ses paroles divines ? Jeanne tient les soudards en respect et pas un ne la touche alors qu'aucun chevalier ne la protège. Elle peut faire « de grandes choses », elle est forte et résolue. Sa voix est douce et ses paroles savantes et claires. Elle s'habille comme un homme dans la guerre et restera pucelle jusqu'à sa mort sur le bûcher — où, comme Blandine, elle répète : « Jésus, Jésus, Jésus... » Tout cela qui faisait Jeanne d'Arc me séduisait, petite fille, et aussi qu'elle ait affronté le supplice, la mort par le feu, avec une telle sérénité. Moi, je ne serais jamais sereine parce que je suis sans Dieu ?... Je crois que je n'aurais pas aimé voir, comme plus tard dans la Jeanne de Dreyer, en troisième image, Jeanne aux fers, en haillons déchirés qui auraient dévoilé son corps de vierge. J'aurais pensé qu'elle mourait à cause de sa faiblesse de femme et je ne voulais pas qu'elle meure pour ça, alors qu'elle avait fait cette fugue géniale pour aller dans le royaume à travers des forêts épaisses jusqu'au palais du roi, jusqu'aux villes les plus riches, jusqu'aux bastides de guerre ; alors qu'elle s'était arrachée à la maison de sa mère, parce que dans une maison il ne se passe pas « de grandes et belles choses » ; elle n'a pas attendu, elle n'a pas répété le geste domestique, elle est partie pour la guerre avec, inscrit en lettres d'or, *Jesus Maria* sur sa bannière. Elle n'est jamais revenue au pays natal. Dieu, la guerre, le roi l'ont bouleversée et transfigurée... comme cette autre femme de la *Révolution* qu'on voyait dans les livres, elle aussi, *La Liberté guidant le peuple*. Elle va debout sur ce qui reste d'une barricade, les seins et les pieds nus, sans rien qui la protège, qu'une robe à plis, nouée à la taille, et un drapeau qu'elle brandit vers les révoltés. Elle porte le bonnet phrygien, on la voit de profil, elle est puissante et belle. C'est ce visage qu'on voit aujourd'hui sur les timbres-poste : le timbre *Liberté*, première émission 1982. *La Marianne* de Delacroix a remplacé *La Sabine*, et on peut lire sur le timbre « République française » lorsqu'on ne lisait que « France » sur le précédent. *La Sabine* était plus féminine, plus pacifique, comme la victime qu'elle fut. *La Marianne* tient une baïonnette dans la main gauche mais sur le timbre on ne le sait pas. D'ailleurs, *La Marianne* 1982 n'est pas exactement celle de Delacroix trop dure, trop violente. On a adouci le profil et le regard de la rebelle en armes et en drapeau. Ainsi, chaque rare fois où une femme était représentée en Histoire, dans l'Histoire, dans une position et dans des habits qui n'étaient pas de son sexe, je m'arrêtais à elle. Et depuis, je cherche ces femmes-là, parce qu'elles seules sont capables de m'émouvoir. Elles ont quitté le gynécée sans cesser d'être belles, elles occupent des territoires à tenir de main de fer sans renoncer à séduire, à troubler, à me troubler…

Isabelle Eberhardt, qui n'a participé à aucune guerre de résistance ou de libération, exerce sur moi comme Blandine, Jeanne, Marianne et d'autres, nos contemporaines dans le terrorisme, par exemple, et dans la résistance, cette fascination dont je te parle depuis plusieurs pages. Je me retrouve dans la même excitation un peu étrange et solitaire que lorsque j'étais petite fille en rêve devant les images d'histoire, avec la même naïveté, la même crédulité et sans le moindre esprit critique… Je vois déjà cette moue que tu peux avoir (je suis sûre que Léa aura la même) lorsque tu hésites à brusquer la personne avec laquelle tu n'es pas du tout, du tout d'accord… En particulier pour ce qui concerne Jeanne d'Arc, dont je m'aperçois que j'ai parlé d'elle dans plusieurs textes et chaque fois qu'il y était question d'Algérie. Peut-être l'ai-je assimilée à la Kāhina, la reine des Berbères, convertie, dit-on, au judaïsme pour échapper à l'islam, elle aussi chef de guerre des Aurès, de redoutables montagnes algériennes. Elle était belle et indomptable, pas du tout soumise comme on le dit des femmes du bassin méditerranéen. Tu me trouveras bien misogyne à exalter ces femmes de légende, des guerrières... Mais tu sais que je suis touchée du côté des larmes plus que de la tête par les femmes dans la maison, une femme avec un enfant, ou penchée sur un ouvrage, ou les mains dans la pâte, au téléphone ou lisant une lettre, une femme qui écoute la radio en faisant le ménage... Lorsqu'une femme écrit des livres, elle choisit la maison, la chambre, la table, l'immobilité, la discipline... Elle fait avec son corps en partie ce que fait une femme dans une maison en cuisine, ménage ou maternage et, par privilège, heureusement, elle fugue et l'aventure s'écrit et s'inscrit là où se vivent le quotidien et l'imaginaire.

Donc, Isabelle Eberhardt est une femme singulière, à la fois aventurière et mystique, depuis l'enfance dans l'exil, puisque son père anarchiste russe et sa mère juive russe vivent à Genève à sa naissance. C'est son père qui l'élève et lui apprend à lire et à écrire le russe, le français, l'allemand, l'arabe ; à couper du bois habillée en garçon ; à jurer comme un cosaque... Ce père passe son temps à lire, à boire et à blasphémer. C'est un émigré marginal et extravagant qui fait pousser des plantes exotiques dans le jardin de sa villa suisse à Genève. Isabelle a un demi-frère qu'elle aime avec passion et qui la trahira avec une petite ouvrière qu'elle hait... Elle veut le rejoindre en Algérie où il s'est engagé dans la Légion — on est à la charnière du XIXe et du XXe siècle (Isabelle est née en 1877, elle meurt en 1904). Avec sa mère, elle s'installe en Algérie en 1897. Sa mère est enterrée dans le cimetière de Bône. Isabelle vit seule avec des Arabes de rencontre et se convertit à l'islam. Elle traverse l'Algérie à cheval, habillée en cavalier maure avec pantalons bouffants, bottes et burnous. Comment cache-t-elle ses cheveux de femme ? Peut-être a-t-elle le crâne rasé sous sa coiffure d'homme du Sud. Isabelle est russe, elle a un nom allemand, elle vit comme un homme dans un pays où les femmes sont enfermées. Elle nomadise longtemps avant de se fixer quelque temps dans le Sud, le désert algérien, pour se familiariser avec le soufisme, un courant mystique musulman. Elle fera partie d'une confrérie. Avant de mourir emportée dans la crue d'un oued, Isabelle a le temps d'écrire des nouvelles, un journal et quelques articles dont elle vit très mal ; elle prend aussi le temps d'épouser un Arabe, un spahi grâce à qui elle obtient la nationalité française. Elle signe ses livres d'un pseudonyme : Si Mahmoud, et parle d'elle au masculin. Des rues portent son nom en Algérie. Elle se sera déguisée jusqu'au bout. On raconte qu'elle est retournée dans sa maison d'Aïn-Séfra pour y prendre un manuscrit pendant l'orage et que sa maison de village s'est effondrée, submergée par un torrent de boue. Ses livres se trouvent à la bibliothèque Marguerite-Durand et à la Bibliothèque nationale, si un jour Isabelle t'intéresse... Françoise d'Eaubonne, tu t'en doutes, a suivi sa trace de Suisse en Algérie, à Paris, dans le Sahara... D'autres femmes, des universitaires françaises comme Denise Brahimi, ont écrit sur Isabelle, et aussi Michel Tournier...

Je ne les connais pas mais les mystiques et les saintes m'attirent comme les guerrières... Et toi ? Je t'ai écrit un peu longuement et dans tous les sens. J'ai l'impression de m'écarter chaque fois plus du chemin que nous nous sommes tracé.

Tu es outre-Atlantique. J'ai vu que l'Atlantique est un océan immense. La Méditerranée est ridiculement petite et fermée à côté. Quand j'habitais outre-mer, c'était loin.

A bientôt.

LEÏLA.

Lettre XII

Paris, le 12 octobre 1983

Leïla,

Quinze jours déjà que je suis de retour et j'ai du mal
à m'y (re)faire. Là-bas, les gens sont toujours impres-
sionnés quand ils apprennent que je vis à Paris et ça
me gêne ; ils n'imaginent pas qu'ici comme partout il y
a de la routine, de la pluie, des embêtements et des
embouteillages ; que la vie au jour le jour n'est pas une
succession ininterrompue d'éblouissements ; je n'ai
envie ni de les détromper ni de faire l'objet de leur
admiration envieuse, alors je souris d'un air emprunté
et je change de sujet...

New York m'a paru en revanche époustouflante : les
énergies renouvelées de la rentrée ont été chauffées
par un soleil encore estival et je ne me lassais pas
d'errer dans les rues — le quartier où nous habitions
était devenu presque exclusivement hispanophone
depuis ma dernière visite —, de manger tout en mar-
chant — pour les Américains, le *fast-food* ne se limite
pas aux Big Mac ; c'est un vrai art culinaire (le seul où
ils excellent) et je ne comprends pas que le yaourt
glacé n'ait toujours pas traversé l'Atlantique — et de
sortir. Le choix des sorties était un peu terrifiant —
festivals de films, boîtes de jazz, spectacles de danse,

théâtres *on*, *off* et *off-off* Broadway —, véritable grouillement culturel commenté en long et en large dans les journaux, les magazines, les informations télévisées... Au début, j'ai cru avoir trouvé l'explication du névrotisme proverbial des New-Yorkais ; ensuite je me suis souvenu qu'à Paris le choix était tout aussi vaste mais que je vivais à côté, requise par trop d'autres choses et du coup mauvaise cible pour la pub (que je recevais, là-bas, de plein fouet).

Sans te faire une chronique touristique de tout le mois de septembre, j'ai envie de te parler de mon séjour au Canada — oui, c'est loin, si loin que le décalage horaire s'accompagne de bien d'autres décalages et que l'identité même finit par se brouiller — parce que c'était différent de ma première description.... C'était *bien* ! Est-ce la présence de Léa qui a ainsi décrispé les choses ? La nouvelle génération qui, par sa différence radicale, a rapproché les deux anciennes ? Toujours est-il que je n'ai éprouvé aucune de ces tensions ni de ces fausses nostalgies que j'avais redoutées à l'avance ; seulement une sorte de bonne volonté diffuse et rassurante. Le passage du temps, au lieu de me plonger comme d'habitude dans des spéculations métaphysiques, m'a semblé tout d'un coup cocasse. Notamment en ce qui concernait l'«autorité parentale»... Ma belle-mère, avec qui je me suis disputée pendant des années pour le droit de me maquiller, me demande maintenant de lui montrer comment se servir d'un bâton de mascara. Le simple passage du temps lui a fait cela, comme il lui a fait accepter aussi mon faible pour les hommes «mûrs» : il y a quinze ans, c'était une source de drames et de récriminations ; maintenant, elle me dit avec un malin sourire : «C'est ton problème.» Et de façon générale, je me suis rendu compte que tout ce que j'avais voulu «prouver» à mes parents en partant vivre à l'étranger à l'âge de vingt ans — que j'étais forte, ou indépendante, ou féministe, ou écrivain — était absolument normal, voire banal, à trente ans : continuer d'être sur la défensive serait inutile et même absurde.

Ma mère, quant à elle, a ressorti toutes les chansonnettes macabres qui m'avaient fait frémir d'une peur délicieuse quand j'étais petite fille ; cette fois elles étaient chantées pour ma fille à moi et elles sont devenues un «héritage précieux» : je lui ai demandé de me les écrire, pour que la langue française ne les efface pas complètement de ma mémoire. Léa, qui était, je crois, avant de quitter la France, sur le point de prononcer ses premiers mots, est devenue muette sous l'avalanche de sonorités nouvelles... Mais je ne saurais *me* priver du plaisir de lui chanter en anglais dans les mois et dans les années à venir.

Plus fortes encore étaient les impressions de la spécificité canadienne, qui m'avaient complètement échappé lors de mes séjours précédents. Dans les pharmacies et les épiceries surtout, les noms de marque me sautaient au visage et me ramenaient brusquement vingt ans en arrière : tel chewing-gum au parfum de raisin, telle barre de chocolat au nom poétique, telle sucrerie secrètement adorée que j'achetais tous les lundis avec mon argent de poche et suçais dans une volupté solitaire sur le chemin de l'école... A la simple vue de ces emballages plus que familiers, presque familiaux, me sont revenues non seulement l'odeur des produits eux-mêmes mais toute l'ambiance qui les a entourés : les trottoirs d'Edmonton avec la neige amoncelée des deux côtés, formant deux petites murettes glacées et dures sur lesquelles j'aimais courir très vite et sans tomber ; les premières cigarettes et le lent apprentissage qu'elles exigeaient : avaler la fumée sans tousser, et surtout les tenir de façon élégante et nonchalante entre deux doigts rougis et raidis par le froid (on ne pouvait fumer que dehors, et dehors il faisait froid huit mois sur douze...). Après, on achetait des pastilles noires pour faire disparaître de notre haleine l'odeur de la fumée : ces pastilles s'appelaient *Sen-Sen*, nom que j'associais à *sin*, le péché ; quand j'ai revu les petites boîtes rondes métalliques, un goût d'anis et d'interdit m'a envahi la bouche...

M'est revenu aussi un souvenir dont la netteté est aussi extrême qu'inexplicable : je devais avoir six ans, on m'a envoyée faire une commission à l'épicerie du coin. L'épicière sort de l'arrière-boutique avec sa robe vert lamé ouverte dans le dos et me demande de l'aider avec la fermeture Eclair. Ce que je fais (et j'aurai toute ma vie devant les yeux cette chair blanche et grasse ; c'est seulement au bout de plusieurs tentatives que j'ai réussi à la cacher) et elle me récompense avec trois *nigger-babies*. Des bébés-nègres : petits bonbons noirs à forme humaine et au parfum de réglisse. On pouvait en acheter trois pour un *cent* (le centième d'un dollar), donc ce n'est pas la générosité de l'épicière qui m'a marquée ; peut-être le contraste entre la blancheur de son dos et la noirceur de son cadeau ?... Existent-ils encore, les *nigger-babies* ? Je n'en ai pas vu depuis longtemps... Peut-être est-ce comme le dessin sur les anciennes boîtes de Banania en France, et s'est-on aperçu du racisme gentiment lové dans ces objets anodins. On mangeait des bébés-nègres. Et de même, on chantait :

> *Eenie, meenie, miney, moe*
> *Catch a nigger by the toe*
> *If he hollers let him go*
> *Eenie, meenie, miney, moe.*

Dans cette version canadienne d'« Am, stram, gram », il s'agissait dans les deuxième et troisième vers d'attraper un nègre par l'orteil et de le relâcher s'il gueulait. Pourquoi ? — alors qu'il n'y avait pour ainsi dire pas de Noirs au Canada, surtout à l'Ouest... Il y avait des Indiens, mais on en voyait peu et ils n'entraient pas dans le folklore enfantin, si ce n'est par quelques allusions à leur alcoolisme légendaire (dans les avenues les plus délabrées du centre-ville, presque tous les clochards étaient indiens)... Nos « histoires belges » à nous ne visaient ni les Indiens ni les Noirs mais les Ukrainiens, dont une population importante s'était installée en Alberta (une première vague de Juifs après les pogroms du XIXᵉ ; une deuxième vague d'orthodoxes après la révolution russe).

Aux Etats-Unis, il existe des « histoires canadiennes » dans lesquelles mes compatriotes et moi sommes dotés du nom disgracieux de *Canucks* (la terminaison fait un peu « esquimau ») et tournés en dérision pour notre provincialisme borné. Ces manifestations triviales de la culture populaire — comptines, racontars, rumeurs, histoires drôles — contribuent peut-être autant et plus que les politiques gouvernementales à forger et à figer le chauvinisme, la xénophobie, le racisme... tous sentiments que (sans prétendre ne pas les éprouver) j'abhorre.

Ce qui m'amène à Jeanne d'Arc, pour qui — tu as tout à fait raison — je n'ai pas non plus une sympathie débordante. Justement parce qu'elle est l'emblème de toutes ces choses : le patriotisme, le nationalisme, donc forcément la haine (en l'occurrence des Anglais)... Elle monte sur ses grands chevaux, au propre et au figuré, pour prouver qu'elle n'est pas une faible femme et pour confirmer le mythe selon lequel la seule force concevable est la force virile, militaire... Aimes-tu au même titre les guerrières et les prostituées ? Mais savais-tu que Jeanne d'Arc exécrait les prostituées qui suivaient l'armée française, minant le moral des troupes et transformant les campements en lieux de débauche ? Savais-tu que, pour les chasser, elle les a battues avec sa sacro-sainte épée jusqu'à ce que la lame s'en rompe ? Les femmes-hommes ne supportent pas les femmes-femmes, elles ont la sensualité en horreur, elles nient et cachent et contraignent le corps jusqu'à ce qu'il devienne lui-même de l'armure, impossible à pénétrer et à aimer.

Quant à la Marianne, j'aurais du mal à la mettre, comme tu le fais, sur le même plan que Jeanne. Je la rangerais plutôt avec les muses, les mères patries, les déesses grecques, les Vierge Marie, toutes les femmes-allégories, les femmes-idées, les femmes-alibis qui nous obnubilent et nous font oublier que les femmes réelles menaient pendant ce temps une vie plutôt prosaïque : coupée, comme tu le dis, des « grandes et belles choses ». Pendant que la Liberté aux seins nus de Delacroix menait le « peuple », il n'était pas question que les Françaises aient le droit de vote.

Mais tu as pris tant de précautions pour me parler de tes « excentriques » et tu m'en as parlé avec tant de passion, que j'ai quand même été obligée de fouiller ma mémoire et de me demander quelles étaient mes héroïnes à moi. Je suis revenue de cette recherche les mains à peu près vides. Est-ce possible ? Je n'aurais *aucune* héroïne ? Je me serais si fortement identifiée aux *héros* de mes lectures qu'aucun modèle appartenant à mon sexe à moi n'a réussi à s'imposer ? Au bout de longs efforts, j'ai réussi à dénicher deux noms. Et — exactement comme pour toi — il s'agit dans les deux cas de femmes travesties : George Sand, dont j'ai déjà dit mon adulation adolescente et... Penthésilée dont Kleist a fait un portrait si puissant que même mon moralisme n'y peut rien ; je suis bouleversée par les mots de cette femme mythique, guerrière, qui tue et qui déchire à pleines dents l'homme qu'elle adore.

J'exagère. Il y a Virginia Woolf, n'est-ce pas ?... et Karen Blixen, dont le nom de plume était Isak Dinesen ? et les sœurs Brontë ?... Je vois que je vire tout de suite du côté des femmes écrivains, alors que ce qui te fascine, toi, ce sont les femmes d'action. Et le seul domaine où l'action serait valable et excitante, ce serait la violence ? Tu parles des femmes dans la Résistance, des terroristes, des pornographes... Je préfère alors rester sans héroïne. Et si, pour faire l'histoire, il faut qu'une femme tue en elle-même la bergère — et la mère —, je préfère rester sans histoires... ou plutôt, parce que je ne suis quand même pas une sainte, mettre toute ma violence à en écrire, des histoires.

Ton passé est inextricablement lié à la politique, à la guerre d'Algérie, à la tension entre Français et Arabes que tu retrouves encore, articulée différemment, dans les H.L.M. de la banlieue parisienne. *Il y a* chez toi cette violence, et ce n'est même pas un choix, c'est une donnée ; elle est un attribut de tes yeux au même titre que leur couleur foncée ; tout ton corps la respire, cette violence qui est aussi violence d'amour, et cela s'entend dans ta voix : dès que tu parles, on comprend que tu es «fonceur» (peut-on dire «fonceuse» ?), obstinée, travaillée par des conflits qui sont constitutifs de ton être et qui ne pourraient prendre fin que dans l'abdication (par exemple mystique).

Je n'ai rien de tout cela. Mon pays, sans être dépourvu de problèmes politiques, ne m'a pas fourni ce cadre haut en couleur, cette scène striée d'antagonismes, cette longue histoire sanglante. Je me dis parfois que ce contexte si vital, ce «cadre» — avec tout ce que ce mot implique de contraintes mais aussi de champ d'action soustrait à l'arbitraire —, je ne l'ai trouvé que dans la langue française ; que l'intensité qui t'a été donnée d'emblée, dans ton enfance, ne peut auréoler la mienne que si je la *traduis*.

En même temps, j'ai peur quand je vois s'atrophier, comme un organe trop longtemps engourdi, ma langue maternelle. Mon vocabulaire s'effrite de plus en plus : à force d'enseigner l'anglais, je ne me sers plus que des mots qui figurent dans les manuels de langue, et quand il m'arrive de lire Shakespeare, ou Joyce, ou Djuna Barnes — que dis-je, même le *New York Times* —, je redécouvre avec effroi des centaines de mots courts, étincelants et forts, qui ne font plus partie de mon vocabulaire anglais et dont je ne connaîtrai jamais les équivalents en français. Très souvent, en parlant avec de vieux amis au mois de septembre, j'ai rougi de ne pas trouver telle ou telle «façon de parler» (car le seul intérêt des «façons de parler», c'est de les dire vite et comme si de rien n'était; si l'on balbutie l'effet est annulé)… C'était le seul aspect pénible du séjour, cette sensation de flottement entre l'anglais et le français, sans véritable ancrage dans l'un ou l'autre — de sorte que, au bout de dix années de vie à l'étranger, loin d'être devenue «parfaitement bilingue», je me sens doublement mi-lingue, ce qui n'est pas très loin d'anal-phabète…

NANCY.

Lettre XIII

Paris, le 14 novembre 1983
Paris, le 16 novembre
Paris, le 17 novembre
(à cause du temps qui manque)

Nancy,

Plus d'un mois déjà... Tu m'écrivais cette lettre au retour, ton retour des U.S.A., du Canada, une lettre sur la mémoire, le temps, la perte partielle d'une langue, la langue maternelle, et tu parlais à la fin de ton analphabétisme... Ça te faisait peur... Mais il y a Léa. Elle saura te rappeler à ta langue, comme tu l'écris à propos des chansons en anglais. Pour moi, rien ne me rappelle à cette autre langue, la langue de mon père, sinon ma propre vigilance... Je m'aperçois que pendant ce mois passé à Paris dans l'urgence du quotidien domestique et professionnel, je me trouve en danger d'analphabétisme. Analphabète de l'émotion... Ce qui signifie, pour ma part, négliger les signes imperceptibles qui se perdront parce que je me serai laissé prendre par la vie routinière, assassine qui me précipite doucement dans une assimilation broyeuse, uniforme, mortifère sans violence. Alors c'est à moi de me faire violence pour secouer l'inertie confortable, la « souille » comme dirait le Robinson de Tournier...

Ce retour au pays natal que tu as accompli forte de ta fille Léa, tu as eu raison de le faire ainsi avec une enfant qui te porte en avant, par qui dans une sorte d'innocence tu as pu regarder, voir, entendre, parler... Par elle, tu étais là de droit, à nouveau, sans la violence pour exister contre et ailleurs. Léa t'a gardée de la nostalgie. Je comprends seulement aujourd'hui, après ta lettre, où et comment une fille née de moi me manque... Tu vas dire que je systématise un peu trop et que je traduis tout abusivement en termes d'exil. Et pourtant... je crois que je serais allée en Algérie si j'avais eu une fille. Je me serais sentie moins hors de moi, moins à distance avec une fille à qui parler, raconter, montrer, faire entendre. Une fille de sept ans, surtout pas une adolescente ni un nourrisson qui m'aurait empêchée de regarder le monde, mon pays natal. Une fille de sept ans que j'aurais tenue par la main dans les rues, sur mes genoux dans l'autocar et dans le train. Elle aurait vu la petite école, le village, la cour et les micocouliers, les mûriers qui donnaient des blanches et des rouges, et les feuilles pour les vers à soie qu'on élevait jusqu'au cocon dans des boîtes de chaussures. Je crois qu'avec elle j'aurais demandé à entrer, à passer grillage et portail du côté des roses trémières jusqu'au hangar en U qui protégeait les salles de classe, jusqu'à la porte en bois de la maison d'école, la véranda vitrée, puis la grande pièce avant la vaste cuisine. J'aurais vérifié le figuier, le citronnier attenant à la maison dans sa terre, isolé et florissant, les iris le long des allées, les capucines et les mauves géantes vers la buanderie où Aïcha puis Fatima lavaient le linge le jour de la lessive. Le linge bouillait dehors sur un feu de bois et l'eau coulait dans les bassins à jet continu pour le rinçage. Ma mère tenait à la propreté et je sens encore l'odeur des boules de sapin-dus, une odeur fade et mousseuse qui imprégnait la journée, le linge propre et les habits qu'on portait si on restait longtemps dans la buanderie. Je lisais à haute voix pour Aïcha ou Fatima mes livres d'enfance. J'ai dû lire aussi, accroupie ou assise sur des briques, près du baquet géant où Aïcha frottait debout sur une planche en bois cannelée ce qui devait bouillir ensuite (il fallait à l'avance faire partir les taches qui risquaient de rester malgré les heures dans la lessiveuse qui fumait), des livres de la comtesse de Ségur... Je me rappelle avoir pleuré en lisant *Les Mémoires d'un âne...* ou *Le Dernier des Mohicans*, ou *Lassie chien fidèle*. Je laissais le livre clandestin derrière les briques jusqu'à la prochaine lessive. Je crois que je négligeais mon travail scolaire (l'école m'a longtemps ennuyée bien que j'aie aimé, de l'école, tout ce qui fait qu'elle est l'école... le lieu, l'espace, les objets, l'odeur, la mesure du temps...) pour lire ces livres seule, enfermée dans un endroit où on ne viendrait pas me chercher, souvent cachée dans une salle de classe de l'école paternelle, avant le soir, où mon père, un trousseau de clés à la main, faisait son tour de surveillant pour fermer une à une les salles de classe, puis les réserves, le bureau, pour vérifier la propreté des cabinets turcs dont la porte s'arrêtait à hauteur d'homme et n'atteignait jamais le sol vers le bas. On voyait les pieds des petits et des grands, et la tête des garçons trop grands pour leur âge. Je ne sais pas pourquoi, j'aimais voir mon père partir pour son tour et revenir vers la maison d'école, après la fermeture du portail au bout de la cour, de la lourde porte cloutée à l'entrée du hall immense, de la porte qui séparait l'école de la maison, avant celle qui donnait sur la véranda et la porte vitrée de la véranda qui ouvrait sur les escaliers vers le jardin, enfin la dernière en bois cloutée aussi, doublée d'une moustiquaire comme toutes les fenêtres de la maison. Combien de portes avait-il ainsi fermées à clé avant la nuit ? Combien avait-il de clés, je ne sais plus le dire. Je sais seulement le plaisir que m'a procuré jour après jour, des années durant, puisque j'ai vécu jusqu'à dix-sept ans dans les écoles de mon père en Algérie, cet acte propre à mon père instituteur, directeur de l'«Ecole de garçons indigènes», une école isolée à l'autre bout du village, en contrebas de l'esplanade de terre où les femmes arabes faisaient sécher les piments rouges au premier soleil, derrière le stade où se déroulaient les matchs de foot auxquels nous assistions, mes sœurs et moi, derrière les barreaux des fenêtres des classes qui donnaient sur le stade, et les fantasias où des cavaliers arabes en habit d'apparat se lançaient à grande vitesse sur des chevaux harnachés en tirant des coups de fusil et en hurlant tous à la fois des mots stridents que nous ne comprenions pas. Toutes les trois, accroupies sur les tables ou debout, nous regardions ces hommes à cheval, criant en même temps qu'eux dans une excitation où la peur n'avait pas de place. De l'autre côté de l'école, la route plantée d'oliviers, le long du jardin agricole, bordait une orangeraie protégée par une longue haie de cyprès. Le gardien de l'orangeraie habitait avec sa femme et ses enfants un gourbi, une pièce unique et sombre flanquée d'une courette entourée par des palissades de roseaux. Avec mes sœurs nous allions voir la femme qui cuisait des poivrons sur un *kanoun*, un récipient en terre cuite où brûlaient en permanence des braises sur lesquelles on grillait les légumes dans toutes les maisons pauvres. Mon père travaillait au jardin agricole, s'occupait des plans, des greffes, préparait le travail du lendemain pour les grands de l'école. Cet acte d'appropriation de mon père servait à nous protéger, je le comprends ainsi, à faire comme si cette maison d'Etat qui ne nous appartenait pas, s'agrandissant de la cour et des locaux scolaires, nous revenait pour former une enceinte autour de la maison à l'intérieur de laquelle sa famille, sa femme et ses quatre enfants pouvaient vivre comme dans une maison de famille, vieille de plusieurs générations, ancrée pour l'éternité dans une terre que mon père cultivait, avec des ruches et des abeilles qu'il élevait, des fleurs et des arbres fruitiers qu'ils soignaient ma mère et lui... Ces portes fermées sur nous chaque soir ne nous emprisonnaient pas. Je me sentais, au contraire, quand j'entendais le pas de mon père dans la véranda, libre et sereine comme si nous avions habité notre maison pour toujours. L'illusion de l'ancrage, de l'enracinement — ma mère protégée de l'exil, les enfants dans la maison du père, le foyer patriarcal —, cette illusion a été parfaite jusque dans la guerre où mon père, emprisonné par la France dans son pays natal, a connu, je crois, le pire exil. L'exil dans l'école et la langue françaises, avec une femme française et des enfants nés français dans l'Algérie coloniale, n'a pas été plus douloureux. Mon père dans son école a su nous préserver et se préserver des atteintes de son propre exil, de celui de sa femme en rupture avec sa famille pour avoir épousé et suivi un Arabe dans un pays barbare de désert et de cactus, de celui de ses enfants, des croisés à l'écart de la communauté musulmane, de la communauté chrétienne et de la communauté juive. Enfermés derrière la clôture et les portes de l'école, nous ne connaissions que des couples d'instituteurs semblables à mes parents et des enfants qui nous ressemblaient, ne sachant pas que ces « croisés » étaient si rares dans un pays où se sont trouvés rassemblés des Français, des Juifs, des Arabes, des Berbères, des Espagnols, des Italiens, des Corses, des Maltais..., sans que ces communautés de confessions et de cultures différentes se mélangent pour s'enrichir... Ce que je te raconte là, c'est à toi que je l'écris ; je n'aurais pas parlé ainsi à une petite fille, ma fille... Une fois de plus, me voici égarée. Je voulais simplement dire qu'avec des enfants qui ne sont pas des filles, avec des garçons, mes fils, je n'irais pas en Algérie parce qu'ils seraient si loin de moi. C'est déjà se trouver bien loin de soi, femme, d'avoir des fils et de vivre avec trois personnes d'un autre sexe. Je crois bien que c'est pour cela que je me suis mise depuis quelques années à me protéger follement avec des objets divers, objets miniatures et infantiles de petite fille. Si on observe ce dont je m'entoure dans mon coin, à ma table de travail et aux tables annexes qui se prolongent par une petite bibliothèque surchargée, on peut lire ces signes comme autant de signes obsessionnels, maniaques et sûrement inquiétants. Ces objets sont des repères, des rappels nécessaires... S'il en manque un... Il arrive que Ferdinand ou Sébastien fouillent quand je ne suis pas là pendant deux jours, je sais tout de suite ce qui m'a été enlevé et je crie... Si j'en faisais l'inventaire, j'en rirais moi-même. C'est si dérisoire et pourtant... Je m'amuserai une autre fois à dresser cet inventaire avec commentaire.

Donc, pour en revenir à l'Algérie, je n'ai pu y retourner dix jours, seule à l'hôtel à Alger en décembre 1982, qu'après avoir écrit *Shérazade*... Elle a été ma complice, Shérazade, fugueuse de roman, pour ce retour au pays natal, mais je me suis arrêtée avant le pays natal, le vrai, le seul lieu de l'Algérie qui ait été fondateur pour moi, comme une terre, cette école de village dont je t'ai parlé. Je ne suis pas allée à Hennaya près de Tlemcen... Je n'ai pas quitté Alger, la ville européenne, coloniale. Une ville qui ne m'a jamais attachée et que je regarde comme une étrangère. Je n'ai pas voulu d'un retour de nostalgie. Shérazade m'a arrêtée à Alger, et c'était mieux ainsi, pour cette fois... C'est Shérazade qui ira en Algérie, dans l'Algérie contemporaine, sans moi... Parce que j'ai comme une peur d'aller où je n'ai plus rien à faire, où je ne trouverai pas ce que j'ai aimé dans l'état où je l'ai quitté parce que l'éternité des maisons et des écoles, ça n'existe pas...

Dis à Léa, dans ta langue, que je lui offrirai un palmier de plomb coloré.

LEÏLA.

Lettre XIV

Lamoura, les 27-28 décembre 1983

Chère Leïla,

Cette lettre a été longue à venir, et elle sera courte : j'ai tenu à attendre, pour t'écrire, d'être ici, dans le minuscule village jurassien où Léa a été conçue il y a deux ans, pour voir si, cette année-ci, je parviendrais à en aimer autre chose que le nom. (C'est la troisième fois que nous venons à Lamoura pendant les vacances de Noël, et chaque fois je répands autour de moi le même mensonge, par pur plaisir de calembour : « Je ne Jura que par Lamoura... ») Et non, je ne peux pas attribuer ma méchante humeur de la dernière fois au chamboulement de mes hormones ; cela se passe de la même manière cette fois-ci : je déteste. Nous sommes arrivés il y a vingt-quatre heures et déjà je suis enrhumée et maussade. Or il fait un temps superbe, il y a juste assez de neige pour faire du ski, les sapins sont resplendissants à souhait — et je déteste. Toi, je sais que tu hais la neige et qu'à Paris tu as toujours froid — je te vois encore comme tu étais pendant maintes réunions d'*Histoires d'elles*, chez Do ou dans le local rue Mayet, renfrognée, le manteau sur les épaules, un gros foulard autour du cou, la chaise appuyée contre le radiateur, râlant qu'on caillait — mais c'est nor-

84

mal, puisque tu viens d'une enfance à cactus, une enfance à cyprès, à roseaux et à piments, une enfance à micocouliers et à sapindus dont je ne sais même pas ce que c'est (j'imagine toutefois que ça ne ressemble guère aux sapins de Noël qui m'entourent en ce moment).

Ta dernière lettre m'a fait pleurer. Tu dis qu'en n'allant pas dans ton village natal tu as évité un retour de nostalgie, mais toute ta lettre la respire, la nostalgie, et je te l'envie, et ça me fait pleurer. Parce que si elle n'est pas ici, ma nostalgie à moi, dans ce paysage qui ressemble à s'y méprendre à celui de mon enfance — montagnes couvertes de sapins, neige qui brille sous le soleil —, *où* et comment pourrais-je la trouver? Je n'ai même pas le luxe de ne pas retourner dans la maison de mon enfance; j'en ai connu trop. Trop de maisons, trop de villes, trop d'écoles, trop d'amis perdus de vue. Je n'ai aucune envie, même mêlée de détresse comme la tienne, de faire un pèlerinage pour retrouver ces lieux de l'ouest du Canada. Dans ma famille, pour ne pas se perdre dans les déménagements — et peut-être aussi parce que mon père est un amoureux des chiffres —, on évoque nos anciennes maisons par leur numéro: «C'est quand on était à 612? — Non, je crois plutôt à 2 416»; «C'était il y a longtemps; on était encore à 11 003, ou peut-être même à 12 210.» Ces chiffres nous rappellent toute la personnalité de la maison qu'ils désignent — l'architecture, la distribution des pièces entre cinq enfants et deux adultes, le voisinage et les voisins —, mais ils ne provoquent en aucun cas la nostalgie. Nos séjours en chaque endroit ont été bien trop brefs. A l'école, les enfants Huston étaient toujours les «nouveaux». Nous faisions des efforts acharnés pour nous intégrer, nous faire des amis, grimper sur l'échelle de ce que nous appelions, mon frère et moi, la «popularité» — et puis, une fois de plus, il fallait s'arracher, faire table rase ; notre père avait trouvé un emploi dans un autre quartier, une autre ville, et tout était à recommencer.

(Si, depuis bientôt sept ans, je n'ai pas abandonné mon studio dans le Marais, même en ayant commencé entre-temps à vivre avec M. et son fils et maintenant Léa aussi, ce n'est pas seulement pour prouver mon autonomie, défendre farouchement ma «chambre à moi», c'est aussi pour m'arroger un semblant de racines…, et ça me plaît que ce soit dans l'une des plus vieilles rues de Paris, habitée obstinément depuis des siècles par ces déracinés par excellence que sont les Juifs.)

J'étais nouvelle partout ; mais, d'une certaine façon, au Canada, *tout* est nouveau partout — cela je te l'ai déjà dit — et il est bien difficile d'éprouver de la nostalgie pour les comptoirs en Formica sur lesquels, adolescente, je plantais mes coudes tous les samedis après-midi pour avaler un hamburger avec ma «meilleure amie» du moment. Les centres commerciaux que je hantais pendant mes années formatrices ne ressemblaient pas vraiment à ce que les Français appellent un «terroir». Comme je t'envie tes cavaliers arabes ! Je te les envie à tel point que je n'arrive même pas à ironiser, cette fois-ci, à propos de la fascination qu'exerce sur les femmes la violence des hommes. Cela me semble, tout simplement, follement exotique. En matière de cavaliers, nous avions, dans ma ville natale de Calgary, un gigantesque rodéo annuel qui s'appelait le *Stampede* : une semaine de juillet pendant laquelle tous les habitants de la ville étaient censés porter un chapeau blanc de cow-boy et assister avec force «Youpiii !» à la reconstitution de l'époque des westerns (c'est-à-dire… le milieu du XIXe siècle). On a l'histoire qu'on peut. La nôtre, albertaine, ne m'enchantait guère. La poussière soulevée par les sabots des chevaux en furie me faisait éternuer ; vers treize ans j'ai développé carrément une allergie pour les chevaux et j'ai cessé d'assister aux *Stampede*. Les garçons qui avaient une voiture m'impressionnaient davantage.

L'autre grande ville (et la capitale) d'Alberta, Edmonton, où j'ai également vécu plusieurs années, était légèrement supérieure à Calgary en population et s'estimait lourdement supérieure en tout. Cependant, elle avait du mal à rivaliser avec le *Stampede*. Elle s'est donc inventé une fête annuelle à elle, reconstitution d'une époque encore plus récente, à savoir la Belle Epoque : cela s'appelait *Klondike Days* et il s'agissait de faire revivre, tant bien que mal, la ruée vers l'or de la fin du XIXe siècle. Les femmes se paraient de robes à motifs allant jusqu'aux chevilles et de coiffes dentelées, les hommes portaient le gilet et la barbe, les enfants s'amusaient à chercher dans de faux ruisseaux de fausses pépites d'or. Tout sentait le factice, même pour moi qui n'avais jamais connu autre chose. La grégarité, les festivités, les références à l'Histoire, je n'y croyais pas ; elles me semblaient forcées et fastidieuses, et j'assistais aux *Klondike Days* uniquement pour les manèges.

... Avec cette lettre tu trouveras une carte postale ancienne, avec des violettes en tissu et de vraies tiges vertes séchées collées dessus ; peut-être l'ajouteras-tu à ta collection d'objets féminins-infantiles ; en tout cas voilà pourquoi j'aime la France. A cause de la prolifération de cartes comme ça. La facilité d'accès aux vieux objets. Quand nous avons fait le Grand Déménagement (ça sonne mieux en anglais, bien que tu affiches un mépris un peu snob pour la langue anglaise : *The Big Move*), depuis l'ouest du Canada jusqu'à l'est des Etats-Unis, l'une des premières choses qui m'a frappée, c'étaient les magasins d'antiquités. Ici, l'histoire remontait jusqu'au XVIIe *siècle* ! (Il ne restait bien sûr pas la moindre trace de la civilisation qui avait occupé ces terres *avant* le XVIIe siècle.) Notre propre maison était sans numéro cette fois, à l'écart de toute ville, et vieille de *deux cents ans* ! J'étais aux anges. Je passais mes week-ends à fouiller dans le grenier, dans la grange ; les objets de bric et de broc que j'y ai dénichés font encore partie de mon « musée intime » à moi... Et mon émerveillement quand j'ai vu pour la première fois les rues pavées et les vieilles maisons en brique rouge de Boston n'a été égalé, depuis, que par la découverte de Paris... C'est à Boston, du reste, dans un petit café orange avec deux tables à la terrasse, le *French Café*, qu'est né mon désir de voir Paris. Ce désir a ensuite été exacerbé par un prof de théâtre qui nous invitait chez lui le soir pour écouter Edith Piaf et Jacques Brel, et par une prof de français qui, en classe, nous faisait chanter à tue-tête *Le Déserteur* et *La Vie en rose* — tout cela dans un lycée de quatre-vingts élèves paumé au milieu de la forêt newhampshiroise...

Bref, tu comprends peut-être mieux maintenant pourquoi, depuis que je vis à Paris, je m'habille presque exclusivement aux puces, pourquoi je suis incapable de suivre la mode, de m'acheter des vêtements neufs qui pourraient aussi bien se trouver dans les centres commerciaux de Calgary. J'ai besoin de porter sur mon corps un peu d'Histoire — même si, de cette histoire, j'ignore tout ; j'aime sentir que mes robes, mes chemises de nuit et mes chapeaux ont accompagné d'autres femmes à travers d'autres péripéties ; je serais très malheureuse si, plutôt que de flâner au marché d'Aligre à la recherche d'un manteau de fourrure à 300 francs, je devais porter une de ces vestes orange électrique, pouffant de duvet, qui font ces années-ci la joie de tout Américain qui se respecte.

N'aurais-je, alors, *aucun* sentiment patriotique ? Ne m'a-t-on inculqué dès ma plus tendre enfance *aucun* orgueil d'être canadienne ? Si. Le problème, c'est que le Canada, un peu comme l'Algérie — mais très peu, trop peu peut-être —, est une colonie. D'abord, il a été colonisé par les Anglais et fait encore partie du Commonwealth britannique (tous les matins à l'école nous chantions *Dieu sauve la reine!* immédiatement après *Ô Canada!* et ce n'est qu'en 1964 que nous avons eu notre propre drapeau à saluer); mais surtout il est colonisé, actuellement, par la culture et par l'industrie américaines. A sa manière, mon père a tenté de nous mettre en garde contre ces deux impérialismes. Je me souviens qu'un quartier de Calgary avait été baptisé *Varsity Acres* et que ce vocable était interdit dans notre maison. Pour mon père, l'abréviation officielle du mot *university* en *varsity* était plus obscène qu'un gros mot et il se mettait dans une rage à peine feinte chaque fois qu'il l'entendait prononcer. Etait également abhorrée l'orthographe américaine, plus phonétique ou plus facile, des mots comme *Night* (*Nite*), *Light* (*Lite*) et *Christmas* (*Xmas*). On pourrait croire que de cette façon mon père protégeait une certaine pureté de la langue anglaise, mais en fait il haïssait tout autant le pays mère qui incarnait cette pureté que l'enfant rebelle qui la bafouait. Ainsi, je suis rentrée un jour à la maison pour trouver ma belle-mère en larmes, effondrée sur un livre de cuisine qu'elle venait d'acheter et que mon père avait mutilé en y découpant, aux ciseaux, la photographie d'un gâteau en forme de drapeau britannique.

Ce sont là des actes de résistance politique bien dérisoires, à côté du drame qu'avez vécu ton père et toi. Mais je ne peux pas dire que je t'envie la guerre d'Algérie, même si elle a ajouté à ta vie une dimension qui manque irrémédiablement à la mienne...

Cette lettre, finalement pas si courte que ça, m'a aidée à comprendre pourquoi je déteste la montagne. Ce n'est pas à cause des vêtements — forcément synthétiques, neufs et laids — dans lesquels il faut s'enfoncer pour faire du ski, tous les K-way, moufles, écharpes, collants, chaussettes et bottes qu'il faut enfiler les uns après les autres — d'abord soi-même et ensuite les enfants —, on se sent gros et ridicule, tout le monde a l'air pareillement gros et ridicule, on a froid, on a le nez rouge, on se mouille en tombant dans la neige et ensuite il faut enlever tout cela en sens inverse, l'accrocher sur un fil pour que ça sèche et recommencer deux heures plus tard... Ce n'est pas non plus parce que, bien qu'originaire d'une région de ski parmi les plus célèbres du monde, je n'avais jamais mis les pieds dans ces engins d'une simplicité terrifiante et traîtresse qui glissent et vous emportent en avant ou en arrière sans que vous y puissiez rien (et encore, je ne fais que du ski de fond)... C'est parce que la montagne, c'est un paysage *toujours neuf* : la neige est vierge par définition, les sapins semblables à eux-mêmes quelle que soit la saison ; il n'y a aucune histoire à lire là-dedans, et *j'ai besoin d'histoire,* précisément à cause de la modernité irréductible de mon passé.

Ainsi, pendant que les autres ressortaient l'après-midi pour affronter les pistes une nouvelle fois, je couvais tranquillement mon rhume ici, assise à une table ronde sans doute semblable à la tienne en Corse (avait-elle une toile cirée ?), et je te parlais des choses vieilles. Puissent ces violettes se substituer, un peu, à tes mico-couliers perdus.

NANCY.

Lettre XV

Paris, le 5 janvier 1984

Nancy,

J'ai failli t'écrire de La Gonterie, ce hameau de Dordogne, sans commerce ni poste (l'école est fermée depuis trois ans et ne s'ouvre qu'aux banquets communaux annuels du maire qui a une grande maison neuve, sur la colline d'en face, tout près de sa scierie dans les bois), où ma mère a réussi son retour en France avec mon père qui, lui, quittait son pays natal jusqu'au jour de sa mort (il veut être enterré dans son village, au bord de la mer — près de sa mère, je pense, mais il n'en parle pas souvent —, c'est sa volonté, ma mère le sait)..., dans ce petit village donc où ma mère a presque retrouvé la maison de son enfance après plus de trente ans d'exil « aux colonies » et où elle souhaite chaque année un grand rassemblement de ses quatre enfants dispersés, et jamais cette réunion de famille n'a pu se faire... Ma mère proteste en vain. Je voulais justement te parler de ce malaise qui me prend dès que je quitte Paris, de l'impossibilité où je me trouve, à la campagne, d'écrire la moindre ligne, et je sais que les raisons que je me donne chaque fois n'en sont pas. C'est vrai que dans une maison d'adoption à la campagne, une maison temporaire de vacances, le domestique à cause des enfants et du rythme de paresse l'emporte sur tout le reste. Je me sens chaque fois prise d'un engourdissement cérébral qui me fait du bien trois jours et m'angoisse le reste du temps. Je peux à peine lire. Il me semble que je survis à tout moment et que si je ne pars pas, si je ne sors pas de cette glu, j'aurai beaucoup de mal à retrouver mes facultés intellectuelles... Et D. qui est absolument cita-din et s'ennuie à la campagne, dans la nature, loin des villes, accentue par sa tendance permanente à s'enfer-mer dans une chambre avec des livres, du papier et un crayon pour des calculs de physique interminables, cette impression d'étouffer lorsqu'il n'y a pas de rue et de café. (J'ai étouffé de la même manière au Dane-mark, où il est impossible dans une ville au centre ou au bord de la mer de trouver un café comme ceux que j'aime en France. Voilà des pays où je n'ai pas vu un seul indigène... Il faut les voir chez eux et comment entrer dans leurs maisons quand je n'arrive même pas à passer le seuil des maisons de ce village péri-gourdin où je vais depuis maintenant plus de dix ans?... Je ne sais pas entrer dans une maison que je ne connais pas si je n'ai pas un prétexte qui me pro-tège.) Heureusement, Paris — cosmopolite comme New York (j'irai même si je ne parle pas la langue, je devrais me sentir à l'aise dans n'importe quelle Babel... Mais non. J'aime entendre les autres langues, je n'ai pas le désir de les pratiquer... C'est une vieille histoire comme tu sais) —, Paris, une ville du Grand Nord pour moi à cause de la pluie, du froid, des nuages, est latine et méditerranéenne, orientale si on veut, et ses bistrots auvergnats ne sont du centre pro-fond de la France que par les yeux clairs à fleur de tête des patrons et leurs grognements d'hommes sau-vages... Pour le reste — les clients, le comptoir, le passage, les conversations, les langues qui se mêlent d'une classe à l'autre, d'une civilisation à l'autre —, pour cela, j'aime Paris. Contrairement à toi — je ne sais si c'est propre aux Anglo-Saxons —, je ne cherche pas l'histoire dans cette ville, ni ses vieux quartiers ni ses particularismes... Tu parles des puces et de ton goût des vêtements qui ont été portés par d'autres femmes. Des vêtements lourds, en somme, qui ont été travaillés par d'autres que toi, tu n'auras pas à les «faire». Tu te glisses dans une forme, un style déjà existants. Tu veux de l'histoire toute faite? Je trouve, aujourd'hui encore, que tes couleurs des puces sont un peu tristes. Elles te masquent trop, sauf certain manteau noir... C'est beau le noir.

Cette horreur du neuf... dans l'habit, bien sûr, me rappelle un peu les rites vestimentaires de *Sorcières*. Pas une femme du collectif n'aurait, je crois, porté du neuf. Lorsque j'y repense, elles s'habillaient toutes ou presque comme leurs grands-mères plutôt que comme leurs mères, de toute façon à la manière de... Ce n'était pas exactement la mode dans les années soixante-quinze-quatre-vingt. La tendance *Sorcières*, me semble-t-il, était rétrovieillotte, raffinée, délicate, dentelles et bottines, et presque toujours dans des couleurs sombres : violine, violet, noir, marron allant dans le clair jusqu'au mauve..., surtout pas de couleurs criardes, vulgaires... Tout en nuances, subtilités des tons sur tons, peut-être un peu de rose, vieil or... Mais le jaune d'or, le jaune citron, le rouge, le vert pré... jamais. Le chatoyant oriental des foulards de Yesa ou des miens a dû les heurter. Je me rappelle un numéro de *Sorcières* sur le vêtement. Je ne sais plus pour quelles raisons je n'ai pas écrit de texte sur ce thème-là. J'aurais trop parlé de moi? Ou il aurait fallu faire une étude sur?... J'étais fatiguée des études sur... et *Sorcières* m'a séduite parce que c'était le seul lieu, à ce moment-là, capable de me sortir du code corseté et pédant de l'Université où j'étais en train de me perdre pour adhérer à des valeurs institutionnelles que je n'arrivais pas à mettre en question avec assez de force. Il fallait, pour une assimilation réussie, travailler à une thèse d'Etat, écrire des articles dans des revues réservées, sur le sujet choisi… L'itinéraire était tracé à l'avance, balisé proprement… Combien de fois, depuis, j'ai changé le sujet de ce doctorat d'Etat… C'est dans un numéro de *Sorcières* sur «Le sang» que, pour la première fois, j'ai écrit hors des normes une sorte de fiction brève où l'enfance, l'Algérie, les odeurs et Aïcha étaient présentes. Mais pour en revenir au vêtement, je crois que ces jeunes femmes habillées comme leurs grands-mères à l'âge où elles étaient elles-mêmes des jeunes femmes, mères de leurs mères, petites filles, je les trouvais à la fois trop féminines dans le féminin de l'habit, de la parure, du colifichet, de la voix, douce jusqu'à la mièvrerie, sauf une ou deux, et trop rigides dans le discours sur le texte, les textes, la revue. C'est aussi ce contraste qui faisait leur charme et c'est pour ce contraste que j'étais là, tendue, dans un désir provocateur de parler avec une violence moins feutrée, moins doucereuse, moins sophistiquée. J'ai oublié comment je m'habillais à cette époque-là. Je devais, comme tu le disais, disparaître dans des manteaux, des bottes et des foulards parce que le local n'était pas chauffé, ou mal. On a dû voir de moi durant ces mois, ces années, le visage et les mains. J'avais les cheveux moins courts et bouclés, ils me tenaient chaud… Mais toi, tu me surprenais toujours par ta capacité d'adaptation. Tu paraissais aussi à l'aise à *Sorcières* qu'à *Histoires d'elles*. Je crois que tu te trouvais bien à la charnière. Je te revois à des réunions de *Sorcières* ou *Histoires d'elles*, attentive, diplomate et précise lorsque tu parlais. La fermeté de tes propos tranchait avec la souplesse de ta voix (à cause de l'accent?), de tes gestes; on t'écoutait toujours. Tu as un corps frêle et tu t'habilles exactement suivant cette fragilité physique. Les habits des puces te conviennent parce qu'ils sont ajustés sans être serrés ni tendus et parce qu'ils sont de couleur discrète. On te voit sans que tu aies à t'imposer, comme on t'écoute sans que tu cries. Ce sont peut-être là des qualités protestantes ? Je me trompe ? Ta présence à *Histoires d'elles* me donnait de la force. Une fois tu n'as pas été là, tu étais partie loin, peut-être au Canada, je me suis sentie sans volonté... Il fallait que tu sois dans la pièce, sans manteau, tu n'avais jamais froid, active, efficace, à l'écoute, en opposition parfois mais pas dans la rivalité, ou j'idéalise ?...

A *Histoires d'elles* j'ai aimé (et je recherche désespérément cela, sachant aussi que c'est fini) ce lieu privilégié où se sont mêlés pendant plusieurs années, entre plusieurs femmes, le privé et le politique, dans une pratique autonome de travail et de jeu. J'aimais le mélange des genres dans l'équipe et dans le journal. C'est ce métissage des pays, des cultures, des corps, des vêtements, des accents, des voix, des gestes qui m'a attachée et je ne l'ai pas retrouvé ailleurs, sauf dans un imaginaire relié de loin au réel, dans des textes de fiction où je mets ce qui secrètement m'importe le plus. Comment n'y a-t-il pas eu plus d'explosions entre femmes si dissemblables ? Comment avons-nous maintenu l'équilibre pendant ces années ? Comment avons-nous réussi à donner à *Histoires d'elles* un ton particulier, sans uniformité, avec toutes ces différences ? Nous n'avons pas été dans la voix unique, mimétique, la voix du maître — c'est ce qui a fait l'intérêt du journal, je pense — ni dogmatique, ni précieux, ni pédant. Je me réjouis chaque fois de la distance absolue qui existait entre Luce et Rosi ou Barbara, entre Yesa et Ruth, ou bien encore entre Catherine et Dominique Pujebet, ou entre Dominique Doan et toi..., entre Hélène et moi aussi. On ne cherchait pas la fusion, la sonorité à tout prix. Il n'y avait pas de modèle à quoi se conformer. Nous avons vécu un temps, un lieu, une pratique utopiques et réels dans la faille où nous avons réussi à nous inscrire... Mais c'était une faille provisoire et peut-être que la gauche au pouvoir a fait le plein... La faille, nous n'avons plus l'énergie de la découvrir ou elle n'existe plus en marge, et nous ne voulons toujours pas entrer en institution, alors que ce serait possible...

Ces trois années de 77 à 80, ou deux et demie, sont je crois les seules où je n'aie pas eu à souffrir de l'exil, parce que *Histoires d'elles* est le seul lieu où j'aie trouvé une place où je ne me sois pas sentie à côté, en marge, à l'écart comme je le suis depuis toujours et aujourd'hui. J'étais dedans, au cœur, et cela ne m'est plus arrivé. J'étais moins divisée, moins seule. Je réussissais à faire, à produire, à parler avec d'autres, des femmes, moi qui me sentais si misogyne, souvent. J'ai dû l'être, mais sans malveillance. C'est pour ces raisons sans doute que je n'ai pas participé au travail sur l'exil avec Carmen, Simone, Barbara, Maria... Elles s'appelaient les «Migrantes» et de fait elles l'étaient, plus que toi et moi puisque Simone est retournée au Brésil, Barbara en Allemagne et Maria au Cameroun; dès qu'elle le pourra, Carmen retournera au Chili si elle ne l'a déjà fait. Et Rosi ? Quel est son pays ? L'Australie ou l'Italie ? Elle n'était peut-être pas encore au journal au moment des «Migrantes». Je sais qu'elle s'occupe d'un numéro des *Cahiers du GRIF* sur l'exil... Nous nous y retrouverons...

J'écris sans méthode, je ne sais plus où j'en suis, comme chaque fois que je t'écris de l'exil. Je ne peux empêcher ce désordre... Je reviens à ce que tu dis du Jura en hiver. J'ai pensé au désert en te lisant. Le sable comme la neige, à l'infini recouvrant d'une couche neuve la précédente... Cette virginité dont tu parles. Tu la détestes comme d'autres l'aiment, avec la même passion... Les fous du désert (je repense à Isabelle Eberhardt, à tous les explorateurs amoureux du désert : René Caillié, Conrad Kilian, Charles de Foucauld, Duveyrier — c'était le nom du lycée de garçons à Blida —, d'autres dont on sait l'histoire parce que l'Occident l'a écrite pour son Histoire) devaient avoir l'impression que l'infini ne cessait de leur appartenir dans l'innocence du recommencement et qu'ils étaient à l'origine de l'histoire, de la mémoire du paysage, comme le premier homme pense qu'il donne corps, chair, existence à une jeune fille vierge, à chaque fille vierge qu'il a possédée. Les fous des Alpes, de l'Everest, du désert et des vierges sont les mêmes. Dans ma mythologie j'aime le désert…, mais je ne suis pas sûre d'aimer le désert, vraiment…, de même que je dis ne pas aimer la montagne, la neige, je ne sais pas pourquoi… Je crois que je le dis comme je dis que je n'aime pas les Américains (et non pas, comme tu me l'as écrit, la langue anglaise). Je parle sans réfléchir dans ces moments-là, à la hâte, en sectaire.

C'est tellement long, lent, difficile de faire exister un paysage, le faire advenir à son monde, pour l'émotion. Ce que tu dis du Jura, à cause de la neige, je peux le dire de chaque paysage urbain et rural où je suis restée fidèlement plusieurs jours pendant des années. Je ne sais pas encore ce qui provoque l'émotion que je cherche, et si rien ne se produit, je me retrouve inerte, dans un paysage inerte, et malheureuse, vide, sèche. Longtemps je n'ai rien senti pour Paris ; j'étais sans regard, indifférente. Il m'a fallu des années pour voir la ville d'Alger. Cargèse en Corse, où je vais depuis trois ans, m'a touchée pour la première fois en juillet dernier. Ces lieux ont été pour moi des déserts avant de devenir peu à peu des paysages, puis des pays, villes ou villages avec de la vie, des couleurs, un ciel, des collines, des arbres et des champs ou des bois avec des bêtes. Ils étaient sans histoires, la parole familiale ne leur avait pas donné corps et mythe. Ce silence de l'exil… Il me faut, à chaque instant, si je ne veux pas mourir d'ennui, de désert, de vide, de mutisme, découvrir ou inventer de l'histoire. Mais je n'y parviens pas toujours. Il me faut des conditions si particulières, des détours si compliqués que parfois je désespère. Ce que je vois, là où je vis, est terre vierge même si l'histoire en est visible, jusqu'à ce que le paysage acquière de l'être. Si je crois lui avoir donné une

âme..., alors il prend de l'histoire la charge émotion-
nelle... et enfin je peux m'émouvoir..., enfin je ne
perds plus la mémoire comme je l'ai fait pendant tant
d'années. Alors je thésaurise en transportant cette
mémoire-là, à ne pas perdre, dans de la fiction. Là, je
suis sûre qu'elle existe, pour l'éternité... La fiction
devient paysage sans le secours de l'histoire... Un
paysage sans l'histoire, c'est un paysage pour l'éternité, non ?

Je t'envoie une carte postale assez laide et touchante
que j'ai trouvée à Brantôme. De ces cartes en noir et
blanc, celle-ci retouchée pour mettre de la couleur au
ciel, aux arbres, au foulard de la paysanne, aux noix,
aux pommes, au balai en paille de riz, aux épis de
maïs... Ce travail des femmes à la campagne sur les
produits de la terre, pour des gestes nourriciers, j'aimerais que quelqu'un les fasse pour moi. Parfois je les
fais moi-même, je me dis que j'aime bien ça, que c'est
un répit comme de faire de la broderie, un plaisir du
corps, des mains..., et puis très vite je m'ennuie...

A bientôt.

LEÏLA.

Lettre XVI

Paris, le 18 janvier 1984

Leïla,

Tu le sais, je suis en convalescence, crevée par les calmants (ou plus exactement *magannée*, pour employer un mot québécois que j'aime beaucoup sans trop savoir comment il s'écrit) et condamnée à la maison conjugale, ce qui m'angoisse toujours. J'étais touchée que tu viennes me voir à l'hôpital et que tu apportes un palmier, un cactus et un figuier pour Léa — ça lui fait toute une étagère oasis maintenant dans sa chambre.

Tu m'as semblé plus gaie que les dernières fois... On se voit moins souvent qu'à l'époque des journaux et des revues, alors tout changement fait plus d'effet, la prise ou la perte de poids, la coupe de cheveux, les cheveux blancs, les nouvelles rides, et puis les changements d'humeur... Parfois je regarde autour de moi, lors de nos réunions espacées sur le projet de revue qui piétine depuis un an et demi, et je suis bouleversée : nous voilà encore, les sept, huit, neuf mêmes femmes qu'en 1976, on a vieilli, on s'habille différemment, on pense différemment mais on persiste à se réunir, même si l'époque n'est plus propice à nos aspirations et à nos productions communes, on a besoin de vérifier l'existence les unes des autres... On arrive de moins en moins à se concentrer sur le prétendu sujet de la réunion, on est constamment déviées, on parle de nos habits, de nos coiffures, de nos maquillages et de nos enfants, exactement comme dans la bonne vieille tradition des *Kaffe-Klatch* de femmes, sauf qu'ici le tout est entrecoupé de blagues, de commentaires acerbes sur l'actualité, de mille réflexions pertinentes et impertinentes… On n'est pas spécialement amies, à quelques exceptions près. Toi et moi, par exemple, on n'est pas spécialement amies, même si je découvre à travers cette correspondance à quel point je tiens à toi, et même — ce qui est vraiment une surprise — à quel point on se ressemble. Mais nous ne nous sommes jamais vues uniquement pour le plaisir de nous voir, pas une seule fois. J'ai dû dîner chez toi une fois, tout de suite après notre rencontre, quand tu m'as invitée avec Yasmina pour parler de l'article que j'écrivais avec elle… Tu n'as jamais dîné chez moi, sinon en groupe, avec le prétexte d'une discussion sur un thème comme «la nourriture» ou «les fantasmes alternatifs». D. et M. ne se sont jamais rencontrés, je crois, c'est assez étonnant. Chaque fois que nous nous sommes donné rendez-vous dans un café (tu affectionnes les grands cafés de la rive gauche, mais tu acceptes parfois le risque de te perdre en venant jusqu'à *La Tartine* rue de Rivoli pour me retrouver), c'était pour une raison précise, dans un but de travail précis. Avant, après, on pouvait «bavarder», mais il n'était pas question de se voir *pour* cela, pour rien.

Et pendant tout ce temps j'ai été sensible surtout à nos différences, à tout ce qui nous séparait : les origines et les apparences, oui, mais aussi les élans, les goûts, les choix : tu parlais beaucoup et plutôt fort, moi peu et plutôt bas ; tu avais des gestes et des jugements sûrs, individuels, idiosyncratiques, moi je me sentais toujours un peu flottante et incertaine… (Cela dit, je m'insurge contre deux affirmations de ta dernière lettre : d'abord que j'aime les vieux vêtements parce que je préfère « l'histoire toute faite » — ça a peut-être du vrai mais ça ne me plaît pas de le penser —, ensuite que j'ai un corps frêle et fragile. Je n'ai pas du tout un corps frêle et fragile. Il est peut-être un peu endolori en ce moment, mais autrement non, j'ai un corps robuste, un corps de bûcheronne canadienne !... Tu m'as traitée une fois, je me souviens, c'était à *La Brasserie du Nord* et je venais d'avaler une choucroute entière en parlant avec toi et Anne-Marie du « féminisme et moralisme », je me sentais bouffie, mal dans ma peau et tu m'as traitée de « fausse maigre », je sais que c'est une expression toute faite mais ça m'a marquée parce que c'est effectivement comme ça que je me sens souvent, fausse, fausse comme les pépites d'or à Edmonton, et pas seulement pour la maigreur mais pour tout le reste : je suis une fausse Française, une fausse Canadienne, une fausse écrivaine, une fausse professeur d'anglais..., de cette dernière imposture, je reparlerai.) Mais aujourd'hui, soudain, ce sont nos ressemblances qui me sautent aux yeux. Nous avons toutes deux parlé plusieurs fois, par exemple, de la terreur d'engourdissement qui nous saisit dès que nous nous mettons en vacances... Sais-tu que je me suis fait engueuler par M. parce que j'ai tenu absolument à t'écrire (donc à « travailler ») pendant le séjour à Lamoura ? Il m'a accusée d'avoir un comportement typiquement masculin, un peu comme celui de D. que tu décris, qui consiste à toujours emporter du travail avec soi, à s'enfermer en intimant aux autres l'ordre de vous laisser tranquille, à ne pas pouvoir renoncer à exprimer de chaque journée au moins une goutte d'encre, quelque chose qui laisse une trace (d'où la manie du journal intime qui nous est également commune), à lui imposer, du coup, à lui, M., un rôle « féminin », à savoir la garantie de la continuité et de la disponibilité familiales... Il est vrai que M., bien qu'au moins aussi « accroché » à l'écriture que moi, n'est pas comme ça : ou bien il travaille, ou bien il ne travaille pas ; il passe d'un état à l'autre dans la sérénité ; il ne ressent pas la menace de perte d'identité s'il doit délaisser la plume pendant une semaine ou même un mois, alors que plane au-dessus de nos têtes le spectre de la Femme-domestique-et-ménagère, toujours prête à nous happer : « Voilà, puisque vous n'avez fait que ça aujourd'hui, vous n'êtes plus que ça ; c'est prouvé et c'est irréversible. »

... Il y a aussi nos réticences à l'égard de ce que tu appelles l'institution, notamment l'Université, dont je ne m'étais pas aperçue auparavant à quel point elles sont identiques. Je suis sûre que cela tient à nos conditions d'« exilées », même si on en est arrivées là par des chemins différents. Toutes deux, on est entourées d'universitaires qui ont rédigé des thèses, décroché des diplômes, poursuivi des carrières académiques en bonne et due forme — et nous, non, on s'est embarquées mais on s'est interrompues : incapables ? ou écœurées ? Pour ma part, je ne me souviens pas d'avoir consciemment pris la décision, à un moment donné, de ne *pas* entamer une thèse après avoir obtenu le diplôme qui m'avait permis de le faire. La trajectoire divergente qu'a prise ma vie professionnelle s'est tracée imperceptiblement... et, je crois, en grande partie grâce à la revue *Sorcières*.

Tu te moques gentiment des femmes de *Sorcières*, et tout ce que tu en dis est juste ; il n'empêche que je leur voue une reconnaissance éternelle parce qu'elles m'ont accueillie et encouragée, moi jeune étudiante étrangère et par tout ébahie, à un moment propice. C'est Xavière Gauthier qui, en me contactant et en me demandant un texte (on ne parlait jamais d'« articles » à *Sorcières*, seulement de « textes ») pour le premier numéro de la revue, m'a forcée à oser écrire en français..., ce que j'ai fait, avec beaucoup de trépidation et de maladresse, mais aussi avec un plaisir que je n'aurais même pas pu imaginer en anglais. Les tournures obligées, les automatismes et les «tics» universitaires avaient peut-être tué pour moi la langue anglaise; j'avais tellement écrit pour passer des examens que j'avais l'impression de passer un examen chaque fois que j'écrivais; je n'entendais plus ma langue; elle m'habitait comme un poids mort. Et là, un jour de septembre, en haut d'une maison dans la rue Saint-Jacques, la page blanche, d'arrêt de mort, s'est transformée d'un seul coup en champ de possibilités. Les mots à ma disposition étaient moins nombreux, mais ils avaient un goût, ou plutôt un volume, ils étaient vivants; je les agençais en jouant sur les sons comme si je bâtissais une sculpture musicale... et ça marchait. C'était beau..., du moins, à *Sorcières*, on m'a dit que c'était beau et on m'a demandé peu à peu d'autres «textes», et puis de m'occuper de la rubrique «Livres», et puis de prendre en charge un numéro entier... Et, tout doucement, sans jamais me heurter, on a corrigé mes fautes de français, on a arrondi mes anglicismes... Par une de ces coïncidences providentielles qui peuvent infléchir le cours d'un destin, c'est vers ce moment-là, en 1975, que la théorie et la pratique de l'«écriture féminine» en France ont convergé autour d'une idée singulière: les femmes seraient davantage portées que les hommes sur le «signifiant», c'est-à-dire qu'elles seraient sensibles au son des mots plutôt qu'à leur sens et que, du coup, elles joueraient sur le sens par des effets d'allitération, d'homonymie et d'onomatopée. Je tombais à pic! — moi pour qui la langue française n'était, à ce moment précis, *que* de la matière sonore. Je me suis adonnée à cœur joie aux calembours en chaîne, c'était une maladie, je rêvais en calembours, je ne pouvais plus m'arrêter... Encore maintenant, il me faut un effort de volonté pour résister à la tentation d'affubler tout ce que j'écris d'un titre à double sens... Quand je relis ces premiers textes — la densité *noire* de leurs intentions, leurs allusions, leurs clins d'œil sur les significations variables de la moindre préposition (dont la plupart échappaient sans aucun doute à la lectrice française moyenne) —, ça m'ahurit et ça m'épuise. Mais j'avais besoin de passer par là pour affiner mes instruments. Peut-être que je n'avais pas du tout besoin de passer par là et que je serais tout aussi bien passée par ailleurs. Toujours est-il que la revue *Sorcières* a été très importante dans ma vie.

Selon toi, j'y étais à l'aise, à *Sorcières*, tout autant qu'à *Histoires d'elles*. Ce n'était pas exactement mon sentiment. J'étais un tout petit peu *mal* à l'aise ici et là : juste ce qu'il fallait de malaise pour sentir que j'existais... Mais parfois je m'affolais : les deux groupes de femmes étaient tellement aux antipodes l'un de l'autre — le feutré *vs* le bruyant, le littéraire *vs* le militant — que je me disais qu'il fallait être schizophrène pour m'entendre avec les deux en même temps. Ou bien schizo ou bien amorphe (à la recherche de «l'histoire toute faite»?). Et cependant les deux me plaisaient : j'étais intellectuellement stimulée à *Sorcières* et politiquement passionnée à *Histoires d'elles*...

C'est une autre histoire, mon rapport à la politique, ou plutôt mon non-rapport : une histoire qui reste assez énigmatique. *Histoires d'elles*, qui a été pour toi l'unique lieu hors exil, a été pour moi le seul endroit où j'ai aimé entendre parler politique. Je dis bien «entendre parler», je n'en parlais pas moi-même, et ce n'était pas à cause de mon statut d'étrangère — comme tu l'as dit, il y en avait d'autres, d'étrangères, et elles ne se privaient pas de faire résonner les murs avec leurs analyses de la situation en Iran, ou en Allemagne, ou en France... Elles étaient — vous étiez — à la fois drôles et percutantes, toi, Barbara, Carmen, sans parler d'Evelyne ou de Catherine Leguay, et je ne peux pas te dire à quel point ça me manque. Ça, plus que tout le reste..., car je suis de nouveau réduite à lire les journaux comme à travers un voile fait d'ignorance, d'insensibilité et d'oubli. Ce qui se passe dans le monde me paraît facilement catastrophique, mais je n'arrive pas à me faire une opinion sérieuse là-dessus. J'ai toujours été mal placée pour réagir à l'actualité politique : d'abord au Canada j'étais trop jeune ; ensuite aux Etats-Unis pendant la guerre au Viêt-nam j'étais dans ce lycée bucolique dont je te parlais la dernière fois, havre de paix spécieuse dans un pays où faisaient rage les émeutes. Entre 68 et 70, j'ai dû regarder la télévision trois fois, je me souviens surtout de l'élection d'Allende parce qu'elle a eu lieu le soir de l'incendie tragique qui a détruit une partie de cette école, toutes les vieilles maisons de ferme en bois. Après, à l'université dans la banlieue riche et réactionnaire de New York, nouvelle tour d'ivoire : écrasées de travail, les jeunes femmes privilégiées que nous étions n'avaient pas le temps de verser des larmes sur la réélection de Nixon, ni sur l'escalade de la guerre... D'accord, j'ai manifesté deux ou trois fois comme tout le monde, mais sans réussir à me sentir vraiment impliquée, même lorsque les flics (que nous appelions des cochons plutôt que des poulets) me matraquaient... Ensuite je suis arrivée en France, une France qui se remettait encore des secousses de 68, où pullulaient encore des groupuscules maoïstes et trotskistes, des comités pour le Viêt-nam et pour le Chili où Allende venait d'être renversé, j'ai découvert à ce moment-là le « marxisme » autrement que comme un synonyme du mal absolu, et je me suis mise à l'écouter — qu'est-ce qu'ils pouvaient *parler*, à cette époque, les hommes, de la politique, des heures et des heures d'affilée dans les cafés, dans les restaurants, dans les lits —, j'écoutais, mais je comprenais de moins en moins, alors je me suis enfermée pour lire Marx, Lénine et même un peu d'Althusser, non toujours rien, j'ai rédigé un mémoire de deux cents pages intitulé *Analyse marxiste de la musique du XXe siècle* (!), mais je n'étais toujours pas capable de commenter d'une manière convaincue et convaincante le moindre événement politique, j'avais juste envie de haïr toutes les guerres et tous les impérialismes, et de pleurer quand j'apprenais les souffrances qu'ils infligeaient, ce n'est pas ce qui s'appelle une analyse politique, c'est ce qui s'appelle du sentimentalisme (réputé du reste très féminin); d'un autre côté j'avais un alibi, il ne fallait pas que je me mêle trop de politique, j'étais étrangère et si j'exagérais on pouvait m'expulser; en dépit de cela j'ai assisté courageusement à de nombreuses manifs avec mes amis membres de ces groupuscules divers; là encore j'ai pleuré, cette fois à cause des gaz lacrymogènes, j'ai appris la joie idiote qu'il y a à sentir sa voix scander un slogan avec des milliers d'autres voix, ses pas résonner en même temps que des milliers d'autres pas, ça ressemblait à la joie idiote des cathédrales allemandes de mon enfance, j'aimais bien mais enfin ce n'était toujours pas une analyse politique; ensuite il y a eu le mouvement des femmes — bouffée d'air frais, manifs rocambolesques, désordonnées, bariolées, avec des banderoles de patchwork, des paillettes, des pieds de nez —, mais cette effervescence n'a pas duré longtemps, nous sommes devenues vite sérieuses dès que la gauche est arrivée au pouvoir, il existe maintenant un ministère des Droits de la femme et on peut obtenir des crédits de recherche, de mon côté je suis devenue entre-temps citoyenne et j'ai le droit de militer tant que je veux, et même le droit de voter aux prochaines élections (voter! je n'ai jamais voté de ma vie), seulement pour voter en connaissance de cause il faudrait suivre les péripéties de la vie politique, et depuis qu'*Histoires d'elles* n'est plus là pour m'aider..., je suis bredouille.

Ecoute, Leïla, je trouve que si ça continue comme ça, si je continue de divaguer encore une heure ou deux (c'est peut-être le Glifanan qui m'y incite), même ma *prose* va finir par ressembler à la tienne. Alors je m'arrête.

Tout de même.

NANCY.

Lettre XVII

Paris, le 23 janvier 1984

Nancy,

Sais-tu qu'à mesure que nous nous écrivons, je le remarque ces temps derniers, à force de traquer l'exil, ses signes et ses effets, je me sens prise là-dedans et, par ce jeu de plusieurs mois, forcée dans la retraite que je m'aménage depuis des années. Retraite à tout instant perturbée et heureusement..., parce que je n'aurais plus qu'à vivre en sauvage, seule comme dans un asile. Je suis déjà contrainte à une certaine solitude pour préserver le temps indispensable à ce geste qui me fait vivre et me sépare. Ce geste dont tu parlais dans ta dernière lettre et qui me paraît l'équivalent, dans l'ordre domestique, d'un rangement de placard, ou de vaisselle, ou de serviettes de toilette..., on se sent mieux après... De la même manière, comme toi, je suis disponible au-dehors, aux autres, à moi, quand j'ai au moins écrit trois, quatre, cinq lignes (pas plus) dans un carnet, un cahier, sur un coin de feuille, dans une journée occupée à survivre ou à vivre ailleurs que dans cette obsession de la trace... La journée n'aura pas été tout à fait perdue... C'est si dérisoire d'avoir noté au bas d'un bulletin du centre G.-Pompidou, par exemple : «Je suis sûre que la femme au bout du comptoir est une pute algérienne qui dissimule sous des cheveux blonds teints la couleur et la nature africaines de sa chevelure. Elle parle haut et fort avec des hommes, se regarde dans la glace, mord ses lèvres charnues et fait croire aux types qu'ils sont irrésistibles et elle du même coup…» Je voulais te parler, justement, de ces exils de comptoir que je pratique depuis que je suis en France (en Algérie j'étais trop jeune pour le faire et lorsque j'y suis retournée l'année dernière je n'ai pas trouvé de place aux comptoirs de la grand-rue d'Alger. Les hommes s'y pressent, serrés les uns contre les autres. Il reste les sinistres salons de thé où les femmes entre elles se gavent de petits gâteaux sucrés). Donc, à ce comptoir des Halles, comptoir de nuit et d'épaves jeunes et vieilles, hommes et femmes, j'étais la seule femme avec cette autre femme pour laquelle j'éprouvais à la fois de la haine, de la pitié, de la tendresse comme souvent lorsque je suis confrontée, à quelques mètres, à une prostituée. Je pensais à toi et à ta complaisance à l'égard des prostituées. Je me suis toujours étonnée de ta fascination et de ta mansuétude, de ton obstination à ne les considérer que comme des victimes. Mais ta position, lorsque nous en parlions, m'a obligée à réfléchir à ma haine sans mélange, à ce moment-là, pour des femmes qui se laissaient à ce point soumettre et manipuler par des proxénètes qu'elles prétendaient aimer et qu'elles engraissaient. Mes réactions n'étaient pas morales au sens chrétien du terme. Je ne pensais même pas au péché… Je m'indignais d'une inertie, d'une passivité profonde dont je ne comprenais pas les causes. Je ne suis pas sûre aujourd'hui de les avoir comprises, puisque je continue à penser que, comme les femmes battues, les prostituées tirent un bénéfice dont on ne parle pas, dont on n'a pas osé parler dans le Mouvement des femmes, de leur position, parce que, peut-être, elles aussi sont dans la manipulation… Et moi qui ai tendance à me sentir concernée par les exclus, jamais je n'ai eu envie de militer du côté, à côté des prostituées ou des femmes battues. C'est étrange... Je crois que ce qui me fait peur, c'est d'assister à l'exhibition du féminin millénaire dans l'un et l'autre cas, et dont j'aurais horreur si cela m'arrivait, malgré moi, me prostituer ou être battue..., ou être violée... Imagine, dans la guerre où l'intégrité du corps et de l'âme risque à tout instant de devenir secondaire.

A ce comptoir, cette nuit-là, j'ai regardé cette femme avec insistance. Je voulais qu'elle me fasse un signe de connivence, où j'aurais compris qu'elle me disait : je suis là, mais je suis ailleurs... J'aurais aimé — je la regardais et elle savait que je la regardais, puisque à plusieurs reprises j'ai saisi son regard, soit en direct soit dans le miroir — qu'elle me signale qu'après sa comédie de pute elle viendrait près de moi, pour me dire qu'elle prendrait bien un pot avec moi, dans un autre café, pour qu'on parle, parce qu'elle avait bien vu à mon regard que je l'avais reconnue comme une femme de là-bas et que peut-être moi aussi, puisque comme elle je me mettais du khôl aux yeux, j'étais un peu de son pays... Elle me raconterait... Je comprendrais pourquoi elle se retrouvait en bout de comptoir, la nuit, fatiguée, mais il fallait rire, plaisanter, se remettre du rouge aux lèvres, les hommes aimaient ça, la voir passer son bâton de Dior rouge sang sur sa bouche lourde, un peu trop grande à son avis mais les clients la trouvaient belle... Pourquoi elle s'habillait en cuir noir serré aux jambes et au ventre... Pourquoi elle portait des bottes à talons trop hauts, mais il le fallait. Elle, elle aimait les beaux cuirs souples, la soie, les bijoux... Elle ne les mettait pas tous, la plupart restaient dans un coffre à la banque... Quand elle travaillait, c'était avec du toc. Bientôt elle s'arrêterait pour tenir un bistrot avec une copine du même pays, mais ici en France, là-bas c'était impossible pour une femme... Toute cette petite histoire pour te dire que je n'ai pas osé lui parler et que lorsqu'elle a quitté le café elle est passée près de moi, m'a souri en disant: «Bonsoir tout le monde.» Elle est sortie, elle avait beaucoup de sacs comme les femmes qui transportent leur maison avec elles, je n'ai pas couru derrière elle pour lui dire — lui dire quoi?... Je ne savais plus. J'ai eu peur qu'elle refuse mon geste, qu'elle se moque de moi pour se protéger contre les hommes qu'elle venait de quitter et qui la suivaient des yeux, accoudés au comptoir près de la caisse, comme dans un film. J'ai pensé, comme chaque fois: je reviendrai et si elle est là à nouveau, je lui parle. J'irai dans un mois ou deux, elle ne sera pas là. Il y aura, comme souvent, des filles arabes, jeunes et jolies, des filles de banlieue qui se font offrir à boire par des petits Blancs paumés et frimeurs. Une sur deux se prostituera... L'autre trouvera un de ces petits Blancs un peu faibles, qui lui fera un enfant qu'elle abandonnera parce que le père aura disparu sans laisser d'adresse... Les hommes près de la caisse ont parlé d'elle, ils ont ri et ils se sont mis à jouer au 421.

J'ai pensé: j'aurais dû la suivre... Je suis restée au comptoir, seule femme. Les hommes autour étaient jeunes. Ils ne m'intéressaient pas; ils étaient français, anglais ou allemands, sauf un, à l'autre bout, un Asiatique. J'aurais pu lui parler mais il avait beaucoup bu... J'ai pensé en riant au Japonais cannibale... De toute façon, je ne l'aurais pas suivi. Je n'ai jamais suivi une rencontre de comptoir... Je les écoute, c'est tout. Parfois je parle, parfois non, et ils doivent se demander ce que je fais là, ces hommes seuls qui attendent et méditent. Je n'ai pas l'air de draguer, je ne cherche pas à me faire offrir un verre, je n'attends personne, de temps en temps j'écris un mot ou deux mais très vite pour éviter les plaisanteries. Je transgresse le code qui continue à fonctionner, code de bistrot où une femme au comptoir drague ou se fait draguer si elle n'est pas l'ivrogne que tous les garçons connaissent.

Je me suis dit, toujours seule à ce comptoir: si une

femme vient, si elle n'est pas trop loin, je lui parle. Une fille est arrivée, une habituée. Elle a demandé un demi qu'elle a bu en fumant des cigarettes américaines et en bavardant avec le garçon au pull-over rouge qu'elle avait l'air de connaître. Ce garçon de café parlait d'un voyage en Allemagne de l'Est, la fille aussi, mais pas le même. J'ai regardé la fille. Elle était, comme l'autre femme, en cuir noir. Elle parlait avec un accent germanique. Ses cheveux étaient blonds et fins, une couleur naturelle un peu dorée. Elle s'appuyait d'un coude au comptoir comme un employé fatigué qui se repose après la fermeture de la boutique. Elle a continué à parler avec le garçon au pull-over rouge, il disait tout le temps qu'il avait mal dormi, qu'il avait tellement sommeil, mais qu'il n'irait pas dormir, parce qu'il vivait la nuit pas le jour, et elle disait qu'après une journée de travail debout dans les fringues elle n'arrivait pas à rentrer chez elle tout de suite ; elle habitait une jolie maison à Nogent, tranquille, calme, pas comme ce quartier qu'elle n'aimait pas.

Moi, je les écoutais ouvertement. Elle m'a proposé une cigarette, le garçon a servi des clients. Elle m'a dit qu'elle se demandait ce qu'une femme pouvait faire à un comptoir, moi, je lui ai dit que je me posais la même question, ce qui était vrai. Mais sa présence n'était pas si insolite ; les filles étrangères de l'Europe du Nord pratiquent plus que les Latines, avec moins d'ambiguïté, les comptoirs. On s'est assises dans le café d'en face, *Au Père tranquille*, et on a bavardé. J'aime parler avec un(e) inconnu(e) et je suis chaque fois étonnée de répondre si facilement aux questions qu'on me pose. C'est volontiers que je parle de moi… Je sais qu'on ne se reverra pas même s'il y a échange d'adresses et de téléphone.

Cette fille, Berlinoise de parents émigrés polonais-allemands, avait quitté l'Allemagne pour n'y plus revenir. Je crois qu'elle avait suivi quelqu'un en Italie puis en France, où elle habitait depuis quelques années.

Elle parlait très bien le français qu'elle avait appris en arrivant, dans un petit village du Sud-Ouest où elle avait travaillé dans un café pour gagner sa vie. Elle disait qu'elle ne resterait pas en France, un pays trop « tempéré » pour elle. Elle travaillait dans une boutique qu'elle quitterait dès qu'elle sentirait qu'elle devait aller ailleurs. Elle pouvait apprendre n'importe quelle langue. Elle ne se sentait jamais en exil là où elle décidait de vivre. Elle aimait changer d'amis, de pays, de langue, ses histoires avec les êtres n'étaient pas éternelles. Dans quelques mois elle irait en Afrique noire où elle était attirée depuis toujours, puis au Japon, ailleurs ensuite. Elle était bien partout, elle ne se sentait pas d'un pays et ne se souciait pas de ses racines. La seule chose à laquelle elle tenait : être allemande, ne pas perdre sa nationalité.

Elle a bu plusieurs bières. Ses yeux très bleus étaient un peu flous. Elle s'intéressait à l'astrologie. Je n'ai pas su lui dire mon ascendant...

Je l'ai enviée pour sa souplesse, sa tolérance, sa curiosité et son aptitude à apprendre des langues étrangères ; moi, face à elle j'étais raide, bornée, tristement rationaliste. On s'est quittées au métro. Elle m'a embrassée amicalement ; elle allait dans un autre café des Halles, pour voir si un copain qui... que... Elle raterait le R.E.R. pour Nogent et passerait la nuit dans un lit de passage..., ce que je n'ai jamais pu faire. J'ai pensé : son exil est un exil heureux. Le mien me donne un air triste. D'ailleurs, à un moment de notre bavardage, elle m'a dit : « Il y a quelque chose en vous de malheureux. » Je n'aime pas m'entendre dire que j'ai l'air triste ou malheureux. Je pense qu'elle avait raison, comme cette autre fille très jeune, à un autre comptoir des Halles, dans l'après-midi, je prenais un café, elle, elle dépliait une immense carte qui m'avait fait sourire à cause de Shérazade. Cette fille qui parlait à tout le monde sans connaître personne, elle arrivait de Dijon et partait à Orléans, m'avait dit justement :

«Vous avez des yeux tristes.» Cette phrase m'avait heurtée comme un coup en traître et je lui en avais presque voulu de me faire mal sans y penser… Je n'ai pas l'habitude de pousser quiconque à me dire ce qu'il ou elle pense de moi, je ne cherche jamais à le savoir, je n'aime pas m'entendre juger… Je trouve que j'ai suffisamment organisé ma défense depuis des années… Et là, ces deux filles, comme ça de plein fouet, sans me connaître, me donnaient à savoir, sans doute possible, que j'ai l'air triste et malheureux. J'aurais préféré les entendre dire : l'air grave ou sombre…, j'aurais eu une profondeur…, une épaisseur intéressante. Mais là, prise en flagrant délit de tristesse, de malheur donc pas du tout séduisante, plutôt repoussante même, alors que gravité…, mais non. J'étais ce que j'étais, c'est vrai, triste et un peu malheureuse mais à cause de rien ni de personne, à cause de moi telle que je suis, déplacée, dans l'imposture, en somme, comme tu le dis si bien, toujours tendue. C'est vrai aussi que je ne suis jamais gaie. Je peux être drôle, caustique, sarcastique… mais pas joyeuse.

Je comprends, en t'écrivant cette lettre, que la pute algérienne dont j'ai parlé au début et à qui j'aurais aimé parler plutôt qu'à la Berlinoise (mais je ne voulais pas prendre le métro tout à fait bredouille) m'a rappelé, sans que je me le dise, une femme algérienne que je poursuis depuis plusieurs années sans réussir à la voir. Je sais qu'elle est à Paris, qu'elle doit avoir entre quarante-cinq et cinquante ans, qu'elle tiendrait un café dans un quartier populaire. Cette femme je la cherche parce que, lorsque j'étais enfant, dans ce village colonial près de Tlemcen, je l'ai vue souvent sur la place de terre battue jouer au foot avec les garçons arabes du quartier arabe. On l'appelait «Safia-gaule» : elle bloquait bien les ballons pendant les matchs. Elle jouait en jupe de chiffons, les pieds nus, les cheveux au vent. Je la voyais de l'autre côté du grillage de la cour d'école. Je ne lui ai jamais parlé. Elle me faisait un peu peur. Orpheline, je crois, elle était élevée à la rue comme les garçons, elle n'allait pas à l'école et personne, ni tuteur, ni gendarme, n'a réussi à l'enfermer. Cette fille «garçon manqué» était absolument exclue de son sexe (était-elle encore vierge à treize ans dans la vie de sauvage qu'elle menait au village?), de sa classe d'âge, de la culture des femmes en Algérie. A douze ou treize ans, les filles ne sortent plus et s'initient à leur vie de future épouse et mère. Safia ne serait ni épouse, ni mère, ni femme. J'ai su des années plus tard, par un Algérien de ce village, un ancien élève de mon père, que Safia, après la guerre (qu'avait-elle fait pendant la guerre? je l'ai imaginé dans un court passage du *Pédophile et la maman*), avait émigré en France. Il disait avoir retrouvé sa trace dans une ville de l'est de la France où vivait une communauté immigrée d'Hennaya, elle chantait à des mariages arabes, puis à Paris où elle serait tenancière de bistrot. Et tu vois comme c'est curieux, Safia me fait penser à la reine des dacoïts, dans une province de l'Inde. Je voulais commencer la lettre par elle, Phoolan Devi, et je t'en parle seulement à la fin. C'est qu'Hélène Cixous, plus vive, s'est inspirée de l'histoire de cette reine hors la loi dont la presse a parlé l'année dernière pour une pièce de théâtre jouée en décembre, *La Prise de l'école de Madhubaï*... Phoolan, comme Safia, m'a troublée et perturbée. Voilà une jeune Phoolan, petite, belle et robuste, qui après plusieurs viols se retrouve à la tête de terribles bandits qui tous lui obéissent. Guerrière et justicière, cette reine rebelle se venge des morts successives que des hommes lui ont infligées en les massacrant tous sans pitié. On la recherche, des hommes de sa troupe la trahissent, elle est seule avec deux ou trois hommes dont son amant, semble-t-il. Elle tient tête aux forces de l'ordre, aux autres bandes, jusqu'au jour où elle se rend. On l'emprisonne. Curieusement, c'est la prisonnière, la reine qui s'est rendue, que célèbre H. Cixous dans sa pièce. Moi, comme les enfants, je l'aurais voulue triomphante et libre, même seule, abandonnée de ses compagnons... Encore une femme à ma galerie de femmes guerrières... Je l'avais presque oubliée... Tu vois, je me retrouve avec mes figures mythologiques de femmes vierges, putains, guerrières... Je me répète, mais j'y tiens, comme je tiens à ces lettres que j'écris, à tes lettres que je lis, en attendant toujours d'être seule comme on lit en secret des lettres d'amour... Ecrire à ce rythme, sur l'exil et autour, m'est devenu nécessaire. Ecrire sur l'exil à une femme qui est à Paris comme moi et qui vient d'outre-Atlantique quand je viens d'outre-mer m'oblige, malgré un retrait provisoire quand j'écris, à sortir de mon *asile* au sens que Rousseau donnait à certain refuge (dans le parc) dans *La Nouvelle Héloïse*, refuge intime et douillet qui capte, et on ne veut plus sortir, refuge qui garde du danger, *asile* aussi au sens d'asile d'aliénés, le lieu de la folie où le corps et l'âme sont sous surveillance, et on ne peut plus rien décider, ni entrer ni sortir, ni ouvrir ni fermer une porte, comme en prison..., mais c'est pire.

Il faut — même si, comme je te l'écrivais au début de la lettre, j'ai l'impression de m'enfermer plus en voyant partout de l'exil — que j'aille jusqu'au bout de la traque... Peut-être parviendrai-je à la joie?...

LEÏLA.

Lettre XVIII

Paris, le 22 février 1984

Chère Leïla,

Ainsi à toi aussi on dit que tu as les yeux tristes ?
C'est une phrase que j'ai entendue tant de fois qu'elle
doit être vraie, mais comme cela dure depuis l'enfance je ne peux pas dire que ma tristesse à moi soit
liée à l'exil — ou si elle l'est, c'est dans une inversion
de la cause et de l'effet : je me suis exilée parce que
j'étais triste, et j'étais triste (du moins est-ce ainsi que
je m'explique les choses maintenant) parce que ma
mère m'a « abandonnée » quand j'avais six ans ; c'est
dès ce moment que transparaît dans mon regard,
d'après les photos, quelque chose de blessé et de
mélancolique... Plus tard je me suis mise, moi, à
abandonner les autres avec une régularité impla-
cable : à l'âge de dix-sept ans, ma famille, deux ans
plus tard, mon fiancé (savais-tu que j'ai failli me
marier à dix-huit ans ?), deux ans plus tard, mon com-
pagnon... Mais cette fois-là, et sans le savoir (croyant
qu'il s'agissait d'une lubie passagère : études à Paris),
j'effectuais l'Abandon par excellence, un abandon si
énorme qu'il allait me suffire pendant longtemps,
peut-être le reste de ma vie : celui de mon pays et de
ma langue maternels. Revanche symbolique contre la

mère qui inaugura la série? Toujours est-il que j'ai gardé les yeux tristes.

Je vis en ce moment trois jours de solitude dans mon studio: parenthèse d'enseignement entre deux brefs séjours en Berry; M. et les enfants sont restés là-bas (c'est les vacances scolaires, et tu sais à quel point les vacances, les enfants et Paris vont mal ensemble). Je retrouve les rythmes et les gestes de ma vie de céli-bataire: la tranquillité au réveil, les longues fins d'après-midi qui permettent de flâner dans les librai-ries — personne ne m'attend, je me sens légère et dis-ponible... Du coup, ce matin j'ai fait un ménage de fond, activité «interdite» en temps normal, puisque les heures passées ici sont comptées et donc forcé-ment consacrées au travail. (Tu sais que je suis très — trop — disciplinée et consciencieuse, c'est un de mes pires défauts; si toi tu manques de gaieté, moi je manque terriblement de laisser-aller, j'ai un surmoi impitoyable, ravageur...) En faisant le ménage, j'ai pensé tout le temps à toi. C'était en partie à cause de l'album que tu as réalisé il y a quelque temps, avec d'autres, sur *Des femmes dans la maison*: j'ai essayé d'épier mes habitudes, mes manies, mes goûts en matière de nettoyage et de rangement. (J'aime beau-coup faire le ménage, chaque fois que mon surmoi m'en donne la permission; je mets toujours de la musique — du jazz — pour m'accompagner, j'enfile un blue-jean délavé et taché de peinture, je protège mes cheveux de la poussière avec une casquette bleu foncé qui porte l'enseigne d'une équipe de base-ball illinoise, j'ai tout l'air d'une vraie Américaine à ces moments-là!) Mais j'ai aussi pensé à toi parce que, en dépla-çant ou en époussetant les objets sur ma cheminée, mes étagères, mes murs, je me suis demandé s'ils constituaient ou non un «musée intime» racontable; si mon exil était lisible dans ces objets. Je pense finale-ment que non: ce sont tous, ou presque, de menus cadeaux offerts par des amis; aucun n'évoque mes origines, pas même les objets naturels (cailloux et coquillages) ; ils n'évoquent que des individus, des êtres que j'ai aimés et qui ont disparu ; les cadeaux sont des traces de leur passage dans ma vie et j'ai du mal à m'en défaire...

En fait, je suis très sentimentale : chaque fois que j'ai eu l'occasion, comme en ce moment, de me sentir vivre seule, j'ai été incapable de résister à la tentation nostalgique. Souvent cela a voulu dire : relire des journaux intimes, parcourir de vieilles lettres d'amis, d'amants et de parents ; rêvasser sur des photos. Les journaux intimes, j'en ai été dégoûtée pour les avoir tapés *in extenso* l'an dernier. Les lettres, je suis arrivée à un moment où je ne pouvais plus les voir ; le choc était trop fort : chaque écriture, chaque signature faisait miroiter un monde différent, et l'an dernier, je n'ai soudain plus eu envie d'être vulnérable à ce choc, ramenée brutalement en arrière — tu as été *cela*, tu as suscité *ces* paroles, tu as trahi *cette* personne-là aussi —, et je les ai jetées. Toutes. (J'ai une cheminée, mais elle ne contient qu'un radiateur à gaz ; je n'ai donc pas pu romantiquement *brûler* ces vieilles lettres. Je les ai quand même déchirées avant de les mettre à la corbeille, afin de m'empêcher de changer d'avis.) Les photos, c'est autre chose ; je trouve plus difficile de déchirer une image qu'une lettre de quelqu'un que j'ai aimé..., peut-être parce que la lettre exige de la patience : il faut la déplier, en déchiffrer l'écriture, savoir sauter les passages ennuyeux et trouver ceux qui vous font vibrer... Dans la photo, tout est instantané : le visage est *là*, l'émotion qu'il déclenche est immédiate ; même déchiré il peut vous fixer de ses yeux pleins de reproche depuis la corbeille... Alors les photos, je les garde, un peu superstitieusement... Au moins me permettent-elles de réécrire l'histoire des tendresses perdues avec mes propres mots, mes propres justifications.

En triant ce matin les photos de mes dernières années aux Etats-Unis (fallait-il les laisser dans leurs enveloppes? ou bien les coller dans un album? N'était-ce pas leur donner trop d'importance?), je me suis dit que cette question des reliques pointait une différence majeure entre nos deux manières de vivre l'exil. Pour toi, il y a l'«avant» et l'«après»; en Algérie, tu n'étais pas dans l'exil (même si tu ne menais pas la vie d'une jeune fille algérienne); en France, tu l'es (même si tu es parfaitement intégrée à la vie française) — mais, d'un côté et de l'autre de ce clivage, tu as été dans la continuité, tu as connu une certaine stabilité. Pour moi, il y a eu une bonne dizaine d'exils successifs, de sorte que dans n'importe quelle situation présente je suis hantée par les échos et les ombres d'au moins une situation passée. C'est sans doute une richesse (je ne suis pas vraiment en train de me plaindre), mais c'est aussi très insécurisant. L'image de ta Berlinoise en train de flotter d'un lit à l'autre, d'un pays à l'autre, d'une langue à l'autre, ne m'attire pas comme elle a l'air de t'attirer. A la longue, on s'en lasse : on est tellement perméable qu'on se sent devenir transparent, et quand on rencontre (par exemple) un couple qui vit ensemble et dans le même village depuis cinquante ans, on en pleurerait...

Tu t'en doutes : parler à des inconnus accoudés au comptoir des cafés, ce n'est pas mon genre. Autrefois, oui. Autrefois, j'avais la conviction (humaniste, chrétienne, américaine, qu'en sais-je?) que chaque être humain pouvait m'apprendre quelque chose et valait la peine que je l'écoute, que je fasse un effort pour découvrir son «âme». Je circulais seule la nuit dans les rues de Boston ou de New York, et si un homme m'adressait la parole, je le regardais au fond des yeux avec mes yeux tristes et je lui répondais. Une fois un jeune drogué m'a dit, interloqué : «Pourquoi tu acceptes de parler avec moi?» Par prétention ou par prémonition j'ai répondu : «Parce que je n'ai pas encore appris la méfiance.» C'était vrai... Je faisais aussi de l'auto-stop, seule, le long de la côte est américaine et puis en

Europe : de Paris à Munich, de Paris en Lignières-en-Berry, de Marseille à Paris ; je rencontrais beaucoup de gens, presque toujours des hommes ; parfois ils étaient intéressants, le plus souvent non, mais je continuais à me dire que c'était un moyen incomparable de sortir de mon milieu (encore que… à peu près tous les hommes qui m'ont prise en stop, depuis les *businessmen* jusqu'aux camionneurs, m'ont avoué que leur rêve d'enfance avait été de devenir peintre, ou musicien, ou écrivain… Une nouvelle preuve, me disais-je, du caractère universel des aspirations humaines…).

Alors, que s'est-il passé ? Une ou deux fois de trop, je me suis baladée seule à 4 heures du matin dans Paris ; une ou deux fois j'ai failli être violée. C'est tout. Je ne ferai plus jamais d'auto-stop. J'aurais toujours le cœur qui cogne lorsque je rentre après minuit, que je gare la voiture au parking et que je dois faire cinquante mètres à pied dans une rue déserte. J'aurai toujours les mains qui tremblent quand je sors la clé en bas de la maison et la peur panique que, cette fois-ci, elle n'ouvrira pas la porte d'entrée. C'est pourquoi, contrairement à toi, je ne rigole pas quand je pense à ce Japonais qui a tué une auto-stoppeuse hollandaise pour ensuite la dépecer et la manger. (Je sens que je suis sur le point de devenir tragique, alors par association d'idées je te raconte une anecdote : quand j'ai demandé la nationalité française, il a fallu envoyer au gouvernement canadien mes empreintes digitales ; on m'a emmenée dans un sous-sol incroyablement sale du Palais de Justice ; le flic de service s'est excusé de la vétusté des lieux en me disant : «Vous comprenez, ce n'est pas à de jeunes femmes comme vous qu'on a affaire d'habitude, c'est à de grands criminels… Par exemple, là où vous avez les mains en ce moment — et il appuyait mes doigts avec encore plus d'insistance sur le tampon à encrer —, la semaine dernière il y avait les mains du fameux Japonais cannibale ! Ça vous fait quelque chose, hein ? » Il aurait bien aimé que je m'évanouisse de peur.)

Leïla, écoute, je ne suis ni complaisante à l'égard des femmes victimes ni fascinée par elles ; simplement je n'arrive pas à en faire abstraction parce que j'ai été à *ça* de leur ressembler. Et parce que, tant que subsistera cet aspect-là de la « condition féminine », c'est-à-dire probablement jusqu'à la fin de ma vie, je ne pourrai pas me réjouir qu'une femme soit tête de liste pour les élections européennes, ni qu'une femme réussisse à devenir reine des bandits (à force d'avoir été violée, d'ailleurs) et à assassiner avec autant d'aplomb et de ruse que les hommes. Tu as tort de dire que le Mouvement des femmes n'a « pas osé parler » de la complicité des femmes dans leur victimisation. Depuis que je m'en souviens, j'ai toujours entendu cela : « Après tout, les femmes battues elles restent bien avec leur mari ; après tout, les prostituées elles ne se sentent aimées que quand leur mac leur fout une raclée ; après tout, on a bien nous aussi des fantasmes de viol dans la tête... » Il y a eu le très bon texte de Françoise Collin dans *Les Femmes et leurs maîtres* et des discussions sans nombre à ce sujet... Moyennant quoi, j'ai essayé dans *Mosaïque de la pornographie* de voir d'un peu plus près comment cela se passe, et Marie-Thérèse, la prostituée dont j'ai analysé les mémoires en les comparant à la littérature pornographique, n'est pas du tout (ni dans la vie, ni dans mon livre) une « pure victime ».

Me voilà bien loin du sujet prétexte de cette correspondance. Je viens de recevoir *Parle mon fils, parle à ta mère* et *Le Chinois vert d'Afrique* ; je n'ai eu le temps que de les feuilleter, mais j'ai été frappée par le fait qu'en ce moment tes livres explorent sensiblement les mêmes thèmes que ces « lettres parisiennes » : l'exil, le croisement des cultures, l'ambivalence grinçante du rapport entre l'Algérie et la France... Ce n'est pas, ou pas encore, mon cas : il n'y a que dans ces pages, avec

121

toi, que je réfléchis à mon expérience d'étrangère ; dans tout ce que j'écris par ailleurs c'est une chose escamotée, un non-dit, peut-être un interdit. Pour autant, je ne fais pas semblant (comme ton Algérienne au comptoir) d'être une «vraie Française», ni à l'intérieur ni à l'extérieur de mes livres. Si je ne cherche pas spécialement à fréquenter les gens de mon pays qui vivent ici, il est quand même significatif qu'à peu près tous mes amis proches ont des racines ailleurs qu'en France. M. en est à la fois un exemple et une raison supplémentaire de cet état de choses, dans la mesure où ses amis à lui aussi sont souvent des immigrés ou des «croisés»... Serait-ce que nous n'aimons pas les Français ? ou bien que ceux-ci tiennent tellement à leur francité que nous nous en sentons exclus ?...

Là où j'ai le contact le plus suivi avec les Français de souche, c'est, paradoxalement, dans mes cours d'anglais. J'enseigne à des fonctionnaires, petits et grands, hommes et femmes, frais émoulus de leurs études ou près de la retraite ; on s'entend bien. Pour moi, c'est un travail relativement dépourvu de «stress», l'unique situation pédagogique dans laquelle je suis pleinement à l'aise : il est incontestable que je connais l'anglais mieux que mes élèves, donc ça ne m'angoisse pas trop d'avoir à le leur apprendre. De plus, dans ce contexte, j'ai des rapports simples et sereins avec ma langue maternelle : tant qu'elle n'est qu'un objet d'analyse et de savoir, et non pas un véhicule de la pensée, je peux en apprécier les rythmes, les sonorités, les tournures et les subtilités syntaxiques. Je me sers souvent de la musique (chansons des Beatles, cantiques de Noël, negro spirituals) pour faire passer un peu de ce plaisir à mes élèves. Quand une vingtaine de fonctionnaires en costard-cravate ou en tailleur se mettent à entonner «*Yesterday*» à tue-tête, je t'assure que c'est pas triste...

Seulement ces chansons-là seront bientôt comme

les vieilles lettres d'amour ; je ne supporterai plus la nostalgie qu'elles déclenchent...

Et toi, dans l'enseignement ? Qu'est-ce que c'est, comment le vis-tu ? A apprendre le français aux lycéens français, es-tu plus proche de ta mère, institutrice française exilée, ou bien de ton père, instituteur de langue française dans des écoles indigènes ?

Yours truly,

NANCY.

Lettre XIX

Paris, le 3 mars 1984

Nancy,

C'est une fois à Bourges que j'ai su, à cause du nom des agences et des cafés qui affichaient: Berri ou Berry, que je me trouvais dans le pays de G. Sand et aussi le tien depuis que tu l'as adopté pour lieu provisoire et vacancier. Un siècle après George Sand, il n'y a plus de campagne proche du centre de Bourges, plus de paysans près de la ville. On voit des barres et des blocs, et si on va dedans, les Berrichons sont des Arabes, des Portugais, des Laotiens, des Turcs. On a du mal à croire si on ne les voit pas en chair et en os que ces déportés marchent parfois dans cette ville qui sue l'histoire et l'argent. Trop de monuments anciens, trop de belles maisons anciennes bouclées à 8 heures du soir, et se retrouver à 8 heures le matin dans les rues étroites, les maisons de la presse encore fermées… on peut crever.

Le Chinois vert dans cette ville où je venais pour lui, c'était E.T., et moi à Bourges… Je ne regardais pas les beaux monuments ni les belles maisons à colombages, rien, ni personne. Je n'ai rien vu, rien entendu. J'ai parlé et je n'ai rien dit. J'étais triste, morne, ennuyeuse; je me suis ennuyée et j'ai pensé que je ne parviendrais jamais à faire le deuil du pays natal… Je me suis sentie mieux dans le train. Là, j'ai réussi à regarder la ville et la campagne. Je me suis demandé pourquoi dans ces villes petites et moyennes de France je ne suis pas émue par la différence, et j'ai pensé à une amie algérienne de Blida que j'ai retrouvée par hasard dans le métro, quinze ans après, qui me racontait combien elle aimait, elle, ces villes pour les rues, les pierres, la matière et la couleur, leur histoire dans la vieille France. Sa pratique d'urbaniste la rendait sensible à ce qui m'importait si peu. Elle disait qu'elle se sentait bien aussitôt hors de Paris dans ses pérégrinations solitaires d'une ville à l'autre, d'un monument historique à l'autre. Chaque fois elle se précipitait dans une cabine téléphonique pour dire à quelqu'un à Paris combien elle était heureuse de voir, de sentir, de toucher ces pierres si lourdes d'une histoire qui n'était pas la sienne. Elle disait aussi que ceux qui habitent ces villes et ces villages de France n'existaient pas pour elle. Elle les voyait à peine… Elle voudrait habiter une maison dans une île de l'Atlantique, en face des côtes françaises. Elle n'est pas attachée comme moi à Paris. Son île ne serait peut-être pas très éloignée de celle où vit un écrivain marocain qui a, je crois, épousé une Irlandaise…

Je reviens à Bourges où les seules personnes avec qui j'ai pu boire un demi tard dans la nuit sont des femmes qui vivent entre elles, elles aussi en exil et en marge de Bourges, même si elles y travaillent. Comme beaucoup de femmes qui ont « traversé » le Mouvement des femmes et qui ne vivent pas à Paris, elles ont choisi de vivre et d'habiter à la périphérie dans une maison à vingt ou à trente kilomètres de la ville. L'une d'entre elles revenait du Brésil où elle était allée adopter un enfant de trois jours, un garçon métis d'Indien, de Noir et de Portugais. Un enfant de couleur aux cheveux très frisés. Il serait heureux jusqu'à treize ou quinze ans, jusqu'au moment où se pose de manière aiguë et dramatique souvent la question de l'identité, de l'origine, de la mémoire. Il fera une fugue jusqu'au Brésil pour retrouver sa mère qui l'a abandonné à une femme blanche, Européenne de France qui ne parle pas la langue de la métropole impériale portugaise, sa mère adoptive qui l'aura élevé dans la province française sans homme, je pense. Je m'interrogeais sur les effets de cet exil involontaire issu d'un rapt généreux et trop singulier : une femme blanche occidentale sans enfants et ne voulant pas en faire elle-même, ou ne pouvant pas, se rend dans un pays surpeuplé où les mères abandonnent les enfants qu'elles ont portés parce qu'elles savent qu'elles ne pourront pas les nourrir... La dénatalité en Occident et la libération des femmes produisent ces histoires-là, comme la colonisation a donné lieu à des déplacements historiques hallucinants. Je ne suis pas sûre que ces déplacements aient toujours été négatifs ; ils ont bouleversé des traditions archaïques et oppressives, ils ont permis des avancées par croisements de cultures. Mais un exil forcé, précoce, solitaire, qu'est-ce que ça peut donner ? — même si la mère et le pays adoptifs sont infiniment hospitaliers et bienveillants. Je voudrais revoir cette femme d'un soir à Bourges dans dix ou quinze ans et son fils adoptif... Il faut être fort, très fort et solide dans la marginalité de géographie, de langue, de couleur, de civilisation pour échapper à l'institution correctionnelle en psychiatrie, rééducation ou réinsertion... Où sera-t-il, ce Brésilien de France ?

Le 15 mars

Je poursuis chez moi cette lettre que je t'écrivais dans un café des Halles *Au Père tranquille*, où stationne une jeunesse dorée bien parisienne. Des jeunes gens et des jeunes filles à la mode, dans la mode, tranquilles, sûrs d'eux-mêmes et de leurs choix de lieux de rencontre, d'études et de vie. Je les perçois sans inquiétude, ils sont presque tous français à l'exception de quelques métèques qui leur ressemblent : Antillais, Africains ou Arabes, sûrement des enfants des ambassades bien que quelques enfants de la banlieue immigrée, planqués, s'assimilent pour quelques soirs à ces jeunes gens « du sérail »...

Je suis là ou plutôt j'étais ce soir-là assise parmi eux que je ne connais pas. Je n'étais pas mal à l'aise. Je pouvais les regarder ou non, sans embarras. J'étais extérieure comme souvent, mais je savais et j'acceptais les distances qui me séparaient d'eux. Ils me plaisaient. Je les trouvais beaux, séduisants, drôles... Je pensais à mes fils : est-ce qu'ils seraient comme eux dans quelques années ? J'avais plutôt envie qu'ils soient ailleurs, curieux et vagabonds.

Je me rappelais en même temps mes premières années seule à Aix-en-Provence. Je venais vivre en France. Mes parents étaient restés à Alger, une de mes sœurs poursuivait ses études à Paris. Lorsque je n'étais pas sur les bancs de l'université des lettres, j'étais dans une chambre vaste et triste du cours Mirabeau, juste en face d'un café fameux où se retrouvait la jeunesse dorée de la ville : *Les Deux Garçons*, qu'on appelle *Les Deux G*. C'était une belle brasserie comme *Le Balzar*, *Lipp*, *La Closerie des lilas*, le même style, cossu et intimidant lorsqu'on est seul sans groupe, ni réseau, ni bande, ni personne qui vous introduise. Souvent je me suis assise seule sur une banquette d'angle. Personne ne me voyait, ne me regardait, ne faisait attention à moi. Je n'étais pas de leur monde. Je pouvais rester là des heures, je ne les gênais pas. Je les voyais près de moi, autour, plus loin dans l'autre salle grâce aux immenses miroirs sur les murs. Je regardais, j'écoutais. Je lisais aussi pour me distinguer dans un lieu où on ne venait pas pour lire mais pour parler et pour séduire. Combien d'heures j'ai passées dans ce coin, toujours le même, comme si on m'avait laissé la place

qui me cachait le mieux, et dans quelle détresse...
J'avais leur âge mais je n'avais pas leur langue, leurs
manières, leurs parures. Je n'avais pas cette brillance,
cette souplesse, ces rires de gorge et cette grâce à passer d'une table à l'autre, d'une salle à l'autre. Jamais
on ne m'a adressé la parole, ni moi à qui que ce fût.
Jamais. J'étais allée dans d'autres cafés du cours
ou au bout du cours, chacun recevait une clientèle
déterminée d'étudiants (droite/gauche ; droit/lettres)...
Ceux qui peuplaient les cafés de gauche, syndicalistes
étudiants, ne me plaisaient pas. Ils me paraissaient
ennuyeux, tristes, bruyants, sales et mal habillés, sans
charme... Je n'ai pas trouvé de café où la jonction se
soit opérée par miracle : des jeunes de gauche qui
auraient été séduisants comme ceux des *Deux G.* dont
je savais qu'ils étaient à droite et que je méprisais
pour leurs opinions politiques... Combien d'heures
j'ai traîné ainsi, lamentable, à la recherche de quoi,
de qui ?

Finalement, c'est grâce à la cinémathèque, fondée
alors avec une petite bande de cinéphiles fous où
j'étais la seule fille, que j'ai rencontré mes « pairs » et
que j'ai pu avoir l'illusion, un temps, à certains
moments, de n'être pas exilée.

Alors j'ai pu entrer aux *Deux G.*, m'installer en bande
à une table centrale, bavarder et rire, parler à contre-
courant de ces jeunes gens dans la mode, certes séduisants et beaux, mais incultes. Snobs, conventionnels et
sots. C'est ce que je pensais en insistant, sachant que
pas un ne me regarderait même si j'occupais le centre...
De fait, pas un ne m'a jamais regardée, ni avant ni
après... J'aurais bien aimé quand même... pour voir.
Mais je crois que je ne l'ai pas assez cherché...

Et tu vois, quinze ou vingt ans plus tard, au *Père tranquille*, j'assiste, sereine, à la reproduction des *Deux
G.*... Ils ne parlent pas exactement des mêmes choses
mais de la même manière et ils portent presque les
mêmes vêtements. Je dis sereine parce qu'à cet endroit

comme dans d'autres où j'aime vagabonder, aussi bien un café arabe de Barbès ou Belleville qu'un bistrot de quartier bien français, que *La Coupole* ou *La Closerie* ou *La Palette*, je ne me sens pas mise en déséquilibre, déstabilisée comme je pense l'être en certains lieux institutionnels, où j'estime que ceux qui les occupent sont des usurpateurs et jamais des «pairs», dans le sens où je ne leur reconnais pas de droit de parole ou de regard sur moi, ce que je fais, ce que je dis, ce que j'écris. Je me mets ainsi dans des situations impossibles.

Le 16 mars

J'ai beaucoup parlé de l'exil, j'ai bavardé, fouillé ma mémoire, perdu et retrouvé des signes. J'en ai découvert que je n'aurais pas soupçonnés, et de lettre en lettre je me sens saisie par l'exil, je le vois partout, il me devient insupportable. J'ai l'impression que lorsque je ne me pensais pas dans l'exil, j'étais protégée. M'exposer à moi-même dans cette perte, ce deuil du pays natal, d'une terre évidente et simple dont j'aurais hérité et que j'aurais juste à transmettre…, c'est m'exposer du même coup sans défense à toute malveillance. Depuis quelques années, ce qui pouvait constituer, hors institution, hors convention, hors conformisme, notre terre, le lieu où nous avons pu nous rencontrer, nous retrouver, cette terre-là nous manque. Terre symbolique des femmes en rupture, terre nourricière d'élans, de désirs, de projets. Et voici que s'impose un nouveau deuil… Bien sûr les femmes existent, elles le prouvent chaque jour et sur tous les fronts, mais il me semble que nous, nous avons perdu notre terre et un peu de ces forces de subversion qui nous faisaient bouger et qui ont à un moment ébranlé le terrain social où nous avions porté nos révoltes. Retour au privé contre le dogmatisme. Retour à soi contre la pression du collectif. Retour à l'isolement, aussi. En quel lieu mythique s'exprimer? Je me sens privée de la complicité, de la solidarité, de toute la force qui se transmet dans l'appartenance à un groupe, à un réseau, à un courant (je ne parle pas de parti politique; ni toi ni moi nous n'avons jamais eu de carte d'inscription à un parti)... Pour moi, je n'ai pas de lieu, de terre amicale bienveillante et je ne me sens de place nulle part. Ce que nous avons cherché plusieurs années durant, à travers des projets prétextes, nous ne l'avons pas trouvé. Nous étions dans la nostalgie et la nostalgie fait mourir à petits coups sournois. Nous avons cru à un artifice naïf qui n'a rien remis en place, rien recréé, rien créé que peut-être de la déception, de la tristesse.

Je prends conscience aujourd'hui du vide auquel je suis confrontée. Nos intransigeances, notre horreur des tuteurs, des protecteurs, des souteneurs, hommes ou femmes (je mets un pluriel mais cela me concerne peut-être plus que toi) — ces attitudes de rigueur nous renvoient non pas à la marge mais à la solitude. Je ne me sens plus de communauté, de famille d'esprit. Ni du côté des intellectuels de gauche que je trouve assez lamentables, cherchant à s'établir dans le pouvoir politique politicien et le pouvoir des grands médias qui diffusent aux larges masses du prêt-à-manger, prêt-à-porter, prêt-à-penser... Je les trouve aussi manipulateurs et corrompus que leurs collègues de droite... Ni du côté des femmes, parce que je n'aime pas les colloques où il faut montrer patte blanche, ni les séminaires d'affinités pour décrocher un contrat ministériel, parce que je ne me sens pas les capacités d'entreprendre une carrière tardive de haute fonctionnaire pour accéder à de bons postes ministériels, parce que je n'ai plus le courage de militer dans des groupes de base régressifs... Ni mes anciens compagnons du gauchisme, de 68 et après, qui courent en ordre dispersé pour attraper les bienfaits de l'Etat et qui bradent le tiers-monde présent chez eux, de l'autre côté des hauts murs des ghettos, dans des sanglots pathétiques et hypocrites. Ils dénoncent ailleurs, où ils ne sont jamais, ce qu'ils tolèrent chez eux, oublieux de leurs origines métèques... Ces compagnons traîtres qui miment grotesquement ce qu'ils ont moqué il n'y a pas si longtemps, se prenant au sérieux comme des clercs d'Eglise rhéteurs et sectaires.

Ne parlons pas des immigrés... Ils ne forment pas une communauté. Ils sont divisés, faibles dans l'incapacité de protéger leurs propres enfants. Ils vivent en déportation analphabète... Auront-ils un jour les forces et les armes spécifiques qui ont donné à la communauté juive de France sa puissance?

Que me reste-t-il? Aussi, comment, où me situer? Et toi? Il me semble parfois que ma seule terre, peut-être aussi pour toi, c'est l'écriture, l'école, le livre. Des lieux à la fois nobles et dérisoires; une pratique dont on mesure difficilement les effets; une terre bien abstraite si j'entends par l'école le lieu du savoir. Toute bibliothèque, tout institut universitaire, toute petite classe de la communale..., toute librairie pour moi fait école. Mais je m'aperçois que je vais de moins en moins moi-même dans les bibliothèques et les librairies, et si je vais au lycée c'est que j'y enseigne. Tu m'as posé une question sur ce travail d'enseignement que je pratique depuis plus de dix ans et dont je parle si peu. Que te dire?

Que la classe, des élèves petits ou grands, enseigner, tout cela me protège de l'exil. Dans une classe je marche sur un sol (par atavisme?); l'odeur d'une classe me pose dans la relation pédagogique d'emblée, sans ambiguïté. C'est là, je crois, que je me sens le moins équivoque, mal à l'aise, ambigu. J'aime faire découvrir et comprendre une langue, un texte, quelques lignes même, les faire entendre à des enfants, qu'ils aient douze ou dix-sept ans. Je ne dis pas que cela soit simple mais j'y tiens encore. J'aime être là comme révélateur, sans autre ambition que d'exercer la sensibilité, la leur, la mienne, à une page, un livre, une voix, un son, une image...

Pour la plupart, ils ne savent pas que j'écris. Je n'en parle pas avec eux. Je ne saurais dire pourquoi. Par quelle pudeur, quelle réserve ? J'ai peut-être tort, je ne sais pas.

Sais-tu quelle question je me pose en ce moment et qui rejoint celle que je posais au début de la lettre ? La voici, pompeusement : *Qui sont mes pairs ?* Et je me demande aussitôt pourquoi j'ai besoin de le savoir. C'est la première fois que je me pose cette question-là avec cette urgence. Ce sentiment de n'appartenir à aucun groupe politique, professionnel ou culturel, de n'être liée à aucune communauté idéologique, religieuse ou intellectuelle où il soit possible de se reconnaître en d'autres, des semblables qui puissent entendre et faire entendre un jugement équitable, suivant des règles acceptées par tous, c'est cela qui me manque et me manquera toujours telle que je suis.

Par ailleurs, puisqu'il est question des pairs, je ne me sens pas non plus d'attaches héréditaires, ni paternelles ni maternelles. Je peux dire que je n'ai pas de famille littéraire, que je n'ai pas de modèle : père putatif, mère putative... Je ne me rattache à rien en amont, à rien dans le présent, à aucune ligne ni cercle... Je te l'ai déjà dit, mais ce que j'écris là, je l'écris comme la pointe extrême et cruelle de l'exil où je suis, en vérité.

Souvent m'est renvoyée au visage mon identité floue, pas claire, pas nette... C'est l'attitude des journalistes à l'égard de mes livres qui m'a révélé cette instabilité identitaire. Pour moi, je sais qui je suis, ce que je suis. A peu près, mais je peux le dire. Eux, n'en sachant rien et ne s'informant pas non plus, suivant l'humeur ou l'impératif professionnel, m'ont tantôt prise comme maghrébine, tantôt comme algérienne nationale, ou comme immigrée, ou fille d'immigrés. L'exil, c'est le malentendu...

Chaque fois que j'ai à parler de moi écrivant des livres, j'ai à me situer dans mon métissage, à répéter que le français est ma langue maternelle, à expliquer en quoi je ne suis pas immigrée, ni beur, mais simplement en exil, un exil doré certes mais d'un pays qui est le pays de mon père et dont j'ai la mémoire, vivant dans un pays qui est le pays de ma mère, de ma langue, de mon travail, de mes enfants mais où je ne trouve pas vraiment ma terre...

Chaque fois que je me trouve face à un public inconnu, hétéroclite, contrainte de donner mon identité, je patauge. Je me surprends à dire : c'est compliqué... c'est toute une histoire... Je ne peux pas répondre si vite... Ou alors c'est en termes négatifs que je m'entends me présenter : je ne suis pas celle que vous croyez, que vous cherchez, que vous souhaitez... En bref, puisqu'il s'agit de mes livres et que je suis là comme écrivain et comme personne : je ne suis pas immigrée, ni enfant de l'immigration... Je ne suis pas un écrivain maghrébin d'expression française... Je ne suis pas une Française de souche... Ma langue maternelle n'est pas l'arabe... Ces remarques reviennent, lancinantes, lorsqu'il y a, du côté du public, des Maghrébins intellectuels en transit, en exil ou en immigration qui ne réussissent pas à m'identifier et qui m'agressent, les hommes en particulier, pour savoir qui je suis, de quel droit j'introduis dans mes livres des Arabes alors que je ne parle pas l'arabe, et pourquoi j'ai besoin de parler de ces Arabes (hommes, femmes, enfants) puisque je n'en suis pas à part entière... Lorsque je dis que je ne parle pas l'arabe, c'est le scandale. Un étudiant marocain m'a sommée, un matin lyonnais, de changer de nom. Il se sentait trompé parce que avec ce nom-là il s'attendait à une femme arabe qui aurait parlé l'arabe, ainsi légitimée pour mettre en scène des Arabes. Je suis suspecte, d'emblée, pour eux plus que pour les Français. Quant aux Français, ils ne comprennent pas que j'aie gardé le nom de mon père pour écrire dans ma langue maternelle, le français, et m'inscrire dans la littérature française comme écrivain français. Pour satisfaire les uns et les autres, il faudrait que j'aie un nom de plume anonyme, neutre, universalisant, et je serais identifiable comme écrivain faisant fonction d'écrivain, avec un nom d'écrivain... Comment expliquer vite ce que j'ai déjà du mal à éclaircir pour moi-même ? Si je parle d'exil, et c'est le seul lieu d'où je puisse dire les contradictions, la division..., c'est tellement complexe que je m'en veux chaque fois d'avoir simplifié. Si je parle d'exil, je parle aussi de croisements culturels ; c'est à ces points de jonction ou de disjonction où je suis que je vis, que j'écris, alors comment décliner une identité simple ? Mais désormais je sais qu'il faut que je puisse dire, déclarer, affirmer sans ambiguïté, sans culpabilité, en me réservant le temps de développer les subtilités de cette position particulière qui est la mienne : je suis française, écrivain français de mère française et de père algérien..., et les sujets de mes livres ne sont pas mon identité, ils sont le signe, les signes de mon histoire de croisée, de métisse obsédée par sa route et les chemins de traverse, obsédée par la rencontre surréaliste de l'Autre et du Même, par le croisement contre nature et lyrique de la terre et de la ville, de la science et de la chair, de la tradition et de la modernité, de l'Orient et de l'Occident.

Je t'envoie cette lettre écrite aujourd'hui à ma table chez moi dans une sorte de petite détresse. Elle n'a presque rien à voir avec la précédente mais je t'envoie les deux lettres en même temps.

Et Léa ? Quand la verrai-je ?

LEÏLA.

Lettre XX

Paris, le 19 avril 1984

Chère Leïla,

Je viens de relire ta dernière lettre... Il me semble que jamais tu n'étais allée aussi loin dans la compréhension de ce que signifie pour toi le mot d'exil. Le passage sur *le nom* est très fort — à la fois drôle à lire et dur à vivre, certainement. Au moins sais-tu *prononcer* ton nom à toi en français, alors que le mien... Certains amis (dont toi) disent « Nancy » comme la ville et font rimer « Huston » avec « bâton », d'autres prononcent tous les *n* et vont même jusqu'à aspirer vaillamment le *h* ; moi-même j'hésite à dire mon nom avec des sonorités trop anglaises, surtout lorsque je me présente à des inconnus, de peur d'avoir à le répéter quatre ou cinq fois. Il n'est pas facile d'être sûre de son identité quand on ne parvient même pas à la décliner sans atermoiements !

En Grèce, où j'ai passé les vacances de Pâques, c'était l'été ; la saison en France a viré entre-temps de l'hiver au printemps, mais dans tes pages il fait encore triste, froid et pluvieux... Je suis sûre que ton abattement (qui n'était pas, comme tu le prétendais à la fin, qu'une « petite détresse ») devait quelque chose au ciel plombé du mois de mars, et j'espère qu'il se

135

sera dissipé quelque peu avec l'arrivée de ces soirées douces et claires...

(Souvenir suave : je suis sur un pont de la Seine avec mon père et ma belle-mère, c'est le mois de mai il y a sept ans — l'unique fois où mes parents sont venus me voir à Paris, pour combien de miennes traversées —, c'est le soir, Notre-Dame a l'air de surgir de sa cascade de lierre comme Vénus de son écume, le ciel est rose, l'air est sans mouvement et sans température, j'ai soudain conscience que pour ma famille j'habite en permanence une carte postale et, alors que c'est pour moi un printemps de dépression, de ruptures et de solitude défensive, je prononce, comme une concession à cette image mais sans mentir, la phrase qu'ils souhaitent entendre : « C'est vrai qu'un soir comme ça, je peux imaginer de tomber amoureuse. » Paris, le Printemps, l'Amour : mes parents me sourient, soulagés de me voir me rendre à l'évidence de cette triade mythique.)

Tu dis qu'il n'y a aucun lien entre les deux lettres que tu m'as envoyées ensemble, mais en fait si : toutes deux parlent de ton sentiment d'exclusion par rapport aux groupes, de ton malheur à découvrir que presque toujours, dès qu'on est dans l'appartenance, la « parité », on est aussi dans la bêtise, le compromis, l'intolérance. Comment le Mouvement des femmes a-t-il réussi, un temps, à échapper à cette loi ? Et notamment *Histoires d'elles*, dont tu as dit dans une autre lettre qu'il représentait pour toi l'unique exception à l'exil... Comment avons-nous fait pour inventer cette « mère patrie » si bienveillante à laquelle nous étions fières d'appartenir, mais d'une fierté non militante, non militaire, avec un patriotisme sans drapeaux, sans uniformes et sans médailles ?... J'ai participé un peu le mois dernier à la Journée internationale de la femme, organisée désormais par le ministère des Droits de la femme. Entre l'importance des moyens mis en œuvre (location d'une salle de spectacle de sept mille places, expositions, stands, micros, vidéos, conférences de presse, présence de Madame le Ministre, visite de Madame l'Epouse du Président…) et l'inexistence d'un mouvement pour les investir (à peine quelque trois ou quatre cents femmes se sont déplacées, presque toutes des vieilles de la vieille) — le contraste était rude. Nous semblions ridiculement petites et passéistes, agglutinées sous l'immense bannière qui proclamait « FEMMES ET FUTUR ».

Le même soir, j'ai dîné chez des amis ; au milieu du repas, l'une des femmes présentes s'est écriée soudain : « Tiens ! On est le 8 mars aujourd'hui. C'est la Journée de la femme et personne n'en a parlé ! Je me souviens que dans le temps, il y a cinq, six ans, il y avait toujours des manifestations féministes pour le 8 mars… Il faut croire que c'est vrai ce qu'on dit, que le féminisme est mort et enterré. » J'ai été d'abord estomaquée, ensuite plutôt contente : cela voulait dire que, du temps où le mouvement était *nous* — désorganisées, fauchées, bruyantes, provocatrices, joyeuses et coléreuses —, il a réussi au moins à se faire entendre ; depuis qu'il est devenu officiel, qu'il s'est doté d'un budget gouvernemental, de statuts et d'accès aux mass média, en un mot de *sérieux politique*, il prêche dans le désert.

Non pas que je leur souhaite du mal, aux nouvelles professionnelles du féminisme. Mais je suis incapable de leur emboîter le pas. Ce qui fait que, comme toi, depuis quelque temps, je marche plus ou moins seule. Mais je ne me sens pas sombrer pour autant dans la nostalgie — ni celle d'un espace (une terre, un pays qui serait vraiment et naturellement mien), ni celle d'une époque (les années soixante-dix, par exemple, décennie de ma vie qui n'a été euphorique que sur certains plans)… Ce qui s'est passé depuis, entre autres choses, c'est que j'ai accepté d'habiter cette « terre » qu'est l'écriture, une terre qui est par définition, pour chacun de ses nombreux habitants, une île déserte. Si je suis heureuse dans l'exil (dans toutes les acceptions du mot, métaphoriques et littérales), c'est parce qu'il donne une forme concrète à cette solitude qui est la condition de l'activité qui me tient le plus à cœur. Au milieu d'une famille nombreuse, au milieu de tous les groupes d'enfants et d'adolescents auxquels j'ai appartenu, à l'école, à l'église, aux colonies de vacances, en train de saluer le drapeau, ou de chanter quelque chose à l'unisson, ou de manger le repas de Noël, je me suis souvent sentie bien plus esseulée que ce matin, lovée comme je le suis dans l'absolu silence de mon studio sixième-étage-fenêtres-sur-cour.

C'est peut-être une forme de folie. Si ça l'est, je ne veux pas trop le savoir. J'ai senti récemment avec une force nouvelle à quel point le fait de vivre dans la langue française m'est *vital* ; à quel point cet artifice m'est indispensable pour fonctionner au jour le jour. Tu m'as souvent entendue plaisanter sur le fait de ne pouvoir écrire que dans une langue qui n'est pas ma langue maternelle, en appuyant lourdement sur le mot « maternelle » (à la manière de Lacan) pour suggérer qu'il y avait bien là-dessous de sombres histoires de démêlés avec ma mère. Je suis convaincue que je n'ai pas pu aller jusqu'au bout de la psychanalyse que j'ai entreprise en 1978 pour la simple raison qu'elle se déroulait en français, la langue qui me protège, la langue dans laquelle mes névroses sont plus ou moins tenues en bride…

Or, il y a quelques jours, j'ai essayé de parler en anglais à Léa. C'était un effort purement volontariste : c'est parce qu'une de mes collègues, qui enseigne comme moi l'anglais à des adultes, m'a reproché de ne pas faire le cadeau du bilinguisme à ma propre enfant. J'ai sorti ma réponse habituelle : « Euh… on pense que c'est mieux d'attendre qu'elle ait d'abord vraiment acquis une première langue… Plus tard, sans doute, quand on l'emmènera là-bas en vacances, chez ses grands-parents… » Et ma collègue de secouer la tête d'un air réprobateur : « Il faut commencer tout de suite. — Ça ne risque pas de la rendre dyslexique ? ai-je lancé au hasard. — Absolument pas. J'ai écrit une thèse sur le bilinguisme, je sais de quoi je parle. Ça ne peut pas lui faire de mal, au contraire », et ainsi de suite. Alors, voilà. Le soir même, je me suis mise à chatouiller Léa en lui disant de petites phrases caressantes en anglais. Presque tout de suite je me suis interrompue. Ça me troublait drôlement. Je me suis forcée un peu, j'ai dit : « *My little girl* », « *My angel sweetheart* », « *Give Mummy a kiss* » — et je me suis arrêtée net. C'est impossible. Quelque chose en moi se soulève, résiste et cale. Pour les chansons, passe encore, mais pour les phrases d'amour qu'une mère dit à sa fille, je ne peux pas. C'est comme si ma voix devenait réellement la voix de ma propre mère. Que les images mises en branle alors soient positives ou négatives, que les souvenirs réactivés soient tendres ou tristes, c'est égal. C'est trop fort. C'est une mine d'émotions si turbulentes que je refuse de la sonder. Je n'en ai pas le courage... Comme quoi le lieu commun selon lequel faire des livres c'est comme faire des enfants se trouve, dans mon cas, corroboré : les livres, les enfants, je ne peux les faire que dans une langue non maternelle.

Comment est-ce que j'ai pu penser que mon choix de vivre à l'étranger avait des raisons contingentes, superficielles ? Ce petit épisode dans la chambre de Léa m'a fait entr'apercevoir la nature réelle, et problématique, de mon exil à moi. Il va sans dire que cela ne concerne en rien ma mère réelle — nos rapports ont depuis longtemps cessé d'être turbulents ; cela concerne uniquement le désespoir d'une petite fille qui n'existe plus... et ses ruses pour le surmonter.

En Grèce, j'ai beaucoup parlé l'anglais et j'ai détesté cela, mais pour des raisons différentes : surtout la honte que la langue devenue langue « universelle », celle dont tout le monde (Grecs, Français, Allemands, Russes,

Italiens…) sait baragouiner les quelques mots de base (*hotel*, *breakfast*, *fish*, *museum*, *Nescafé*, *hello*, *good bye*, *thank you*, *how much*) se trouve être justement ma langue à moi. Je vais dans le seul pays de l'Europe qui me reste parfaitement étranger, celui dont la culture et la langue me sont le plus opaques, et je me retrouve dans la triste transparence du lexique touristique américain, rendu international par l'hégémonie du dollar. Je n'ai même pas le droit de feindre l'incompréhension : mon teint et mes yeux clairs me trahissent ; les hommes que je croise dans la rue me susurrent en anglais leurs compliments ou leurs injures et savent parfaitement que je les *understand*.

Quand des gens vous adressent la parole dans votre langue, qui est pour eux étrangère, et quand vous êtes incapable de leur répondre dans leur langue à eux, cela leur donne sur vous, d'emblée, un avantage. Et cela est vrai non seulement de la drague, bien sûr, mais de toutes sortes d'autres échanges. Pour cette raison aussi, en Grèce (comme d'ailleurs à Paris chaque fois que j'ai fait la connaissance d'un non-Occidental), j'ai souffert de la mauvaise conscience. Car à la supériorité de ma culture, c'est-à-dire la culture américaine-blanche-triomphante-et-riche, s'ajoute l'infériorité de mon savoir. Alors que mes interlocuteurs à Athènes avaient une grande familiarité avec l'histoire et le paysage sociopolitique de l'Amérique du Nord, moi j'ignorais presque tout de la Grèce contemporaine.

Mon esquive particulière pendant le séjour a consisté à avoir le moins possible à faire avec cette Grèce contemporaine. Je me suis plongée dans des textes anachroniques : d'abord les *Mémoires d'Hadrien* de Yourcenar… Hadrien était, comme tu le sais, hellénophile ; du coup ses rêveries imaginaires portaient souvent sur les lieux que je découvrais, moi, pour la première fois, et que lui avait fréquentés il y a dix-neuf siècles ; quand j'ai vu les ruines de sa bibliothèque à Athènes ou la statue de son amant suicidé à Olympie, j'ai frissonné comme si je les avais personnellement connus et aimés... ; ensuite les *Métamorphoses* d'Ovide — et là, je planais pour de bon, égarée dans un passé plus lointain encore, légendaire cette fois et non pas historique ; je n'arrêtais pas de m'exclamer : « C'est ici même qu'Apollon a étranglé la pythie ! C'est sur cette île-là que Thésée a abandonné Ariane ! »... C'était fabuleux. Mais, étant donné mon exaltation, tu comprends que la réalité terre à terre du tourisme m'ait irritée...

Je me suis dit qu'il y a quelques années j'aurais peut-être fait un voyage en Grèce non pas mythologique mais féministe ; j'aurais essayé de contacter au préalable des groupes-femmes ici et là, j'aurais été très attentive à la condition des femmes grecques, à la campagne et à la ville. Quelques années plus tôt encore, j'aurais peut-être fait un voyage en Grèce gauchiste ; je me serais renseignée sur l'actualité politique et économique du pays, j'aurais guetté les signes de l'influence capitaliste américaine, j'aurais écouté avec plus de bienveillance les trotskistes et les anarchistes que notre amie française à Athènes nous a présentés...

Monique Canto m'avait prêté et j'avais lu, avant mon départ, un livre autrement contemporain que ceux dont je viens de parler : *Le Troisième Anneau* de Taktsis. Le connais-tu ? C'est un livre que tu aimerais, j'en suis sûre, un livre que tu aurais presque pu écrire ; il m'a beaucoup fait penser à *Fatima* et à *Parle, mon fils*... Deux femmes grecques bavardent : l'une est vieille, l'autre n'est pas jeune ; elles se racontent leurs vies, leurs malheurs, leurs maris morts et vivants, leurs filles et les problèmes qu'elles ont eus à les marier, leurs fils qui sont devenus alcooliques ou délinquants ; les récits s'imbriquent, les personnages par elles évoqués prennent la parole et à leur tour racontent des histoires labyrinthiques... J'ai été enchantée de découvrir cet écrivain, un homme, si passionné par la vie quotidienne des femmes, si sensible au rôle qu'elles avaient joué dans l'histoire de son pays, alors que la grande Histoire

— les guerres mondiales, les coups d'Etat, les boule-versements idéologiques — se déroulait à quelques pas de la cuisine où elles bavardaient ensemble.

Toi aussi, Leïla, tu as ce don de révéler l'importance des moments et des êtres ordinaires. Ce n'est pas une si mauvaise chose, sais-tu, que d'être hors pair !

NANCY.

Lettre XXI

Paris, le 27 avril 1984
La Coupole, *le matin.*
Autour de moi, plusieurs
femmes écrivent, une sur
deux de la main gauche...

Nancy,

Je suis chaque fois émue et troublée de me trouver corps et âme avec une petite fille qui n'est pas la mienne, menue et dodue à la fois... Comme Poucette, on pourrait presque la tenir dans la main, elle dormirait dans une coque de noix à l'ombre d'une feuille de tilleul... Et moi je repense à cette vieille taupe, mâle riche et installé qui convoite Poucette dans le terrier où elle se retrouve, et je comprends, avec cette fiction d'Andersen, le sentiment douloureux de l'impossible maternité où sont les hommes et ce qui les jette parfois dans des gestes de folie propriétaire et meurtrière lorsqu'ils sont en présence d'une petite fille... Tenir les mains fines de Léa pour les laver, soutenir son regard bleu et rond insistant et lui sourire, lui parler quand elle ne peut encore répondre que par des bruits rauques ou des syllabes appropriées, c'était savoir qu'une petite fille peut chaque fois me bouleverser parce que je suis si proche — j'aurais pu la faire — et

143

si inquiète de ses gestes, de son charme de femme au futur. J'ai toujours pensé qu'il valait mieux pour moi et pour elle que je n'aie pas eu de fille. J'aurais été possessive et féroce, incapable de la considérer comme sujet, de lui accorder l'autonomie nécessaire à toute respiration dans le monde. Je l'aurais tenue si serrée qu'elle aurait eu envie de me supprimer pour vivre... De cela, je suis sûre malgré les principes idéaux et idéalistes qui sont les miens. Je n'aurais pas été assez décrassée... Avec des garçons pour moi, c'est plus facile. Je t'ai déjà parlé de cette distance qu'impose la différence. Elle me paraît indispensable pour installer avec un enfant une relation sereine. Un fils reste l'Autre, et je suis la mère à proximité, donc attentive et vigilante, ce que je n'aurais pas su être avec une fille de ma chair et moi sa mère. C'est pour-quoi les filles des femmes qui me sont proches existent pour moi autrement qu'une fille de mon corps ou de ma tête. Que Luce ait eu une petite Eva, et toi une Léa, même si je ne les vois pas souvent, cela m'a donné un peu d'autres racines... Je pense que c'est pour elles, élargies à d'autres filles, femmes de leur génération, comme le disait Dani l'autre soir, que j'ai envie qu'on produise ensemble une histoire d'*Histoires d'elles*, tant que nous sommes jeunes et lucides, sans trop de nostalgie, puisque c'est ensemble que nous nous constituerons témoins et analystes de trois années particulières, 1977-1980, où nous avons inauguré un mode de travail dont les prolongements se feront sen-tir longtemps et qui nous a liées ensemble, solidaires, fidèles et bienveillantes. Sans enfant, j'aurais été sans terre et presque... sans corps... Je veux dire qu'ils m'ont été nécessaires pour marquer un territoire même hypothétique et mythique ; l'acte d'écrire m'est vital et constitue aussi un territoire..., l'école de mon enfance dont je t'ai déjà parlé. C'est vrai aussi que, comme tu le dis pour toi, l'exil est ma terre d'inspira-tion, de lyrisme, d'émotion, d'écriture.

Je repense à Léa. J'ai oublié de te demander pourquoi tu l'as appelée Léa, un prénom plutôt latin, méditerranéen, qui peut plaire à des Américains à cause de cette diphtongue qui convient à l'accent anglo-américain. Luce a appelé ses filles Olga et Eva... Ces prénoms que le *a* final écarte des consonances et des formes françaises... Sont-elles un peu métèques, ces petites filles, ou les mères? Je ne peux m'empêcher avec le prénom *Léa* d'entendre les sons de *Leïla* avec un *l* en moins, surtout *Léa* dit par toi, un peu mouillé parce que tu rajoutes un *i* que tu prononces presque malgré toi; à cause de ta langue maternelle? L'effet est chaque fois bizarre, cette similitude nominale... Je me suis demandé aussi pourquoi j'avais eu le désir d'offrir à ces deux petites filles, Léa et Eva, plutôt qu'à leurs mères, des objets fétiches de ma mythologie infantile, objets que je n'ai jamais eus lorsque j'étais moi-même petite fille. Pour marquer leur mémoire plus sûrement que par une présence et une parole épisodiques? Traces dérisoires et éphémères, les objets disparaissent, s'usent, se cassent, on les jette ou les oublie. Mais j'aime savoir qu'un palmier d'étain, un chameau couleur sable et roche, un âne des collines, dans la chambre de Léa comme sur un coin de bibliothèque chez moi, rappellent un pays lointain... Ira-t-elle un jour sur les traces des aventurières anglaises amoureuses et curieuses des Empires ottoman, indien ou musulman, comme lady Hester Stanhope qui fonda un émirat au Liban et se fit appeler «Bey Hester»?...

Léa est une petite fille heureuse, dans sa vie, dans le monde. J'ai aimé tes gestes avec elle, comme toujours souples et efficaces, avec du maternel féminin que je ne te connais pas ailleurs, une grâce que tu ne te permets pas en public, avec des contemporains.

Je repense à des femmes sans enfants et qui ont écrit, si différentes les unes des autres: Simone de Beauvoir, Gertrude Stein et Virginia Woolf que je relis en ce moment. Tu as eu raison, dans *La Vie en rose*, de poser la Question de la Maternité dans l'œuvre et le discours de Simone de Beauvoir. Elle s'arrête très vite sur une parole dogmatique à laquelle je ne peux adhérer. Ce qui me frappe, chez Gertrude Stein et Virginia Woolf, c'est à quel point leurs livres sont domestiques et féminins. Leurs romans ne sortent pas de la maison, du salon, de la famille. Famille de sang, famille d'esprit…, la fratrie et les amis rapportés dans les romans de Virginia Woolf; les artistes et leurs familles, amantes, épouses, enfants… dans les autobiographies de Gertrude Stein. La sensibilité, le regard curieux, tendre ou critique, tout cela est centré sur le lieu fondateur, la maison familiale, la maison parisienne, la maison italienne louée avec couple de domestiques…

Contrairement au roman traditionnel féminin, les livres de l'une et de l'autre ne sont pas des romans sentimentaux. Le sentiment amoureux y est diffus, flou, ambigu. Et pourtant je les ai lus chaque fois comme des livres de femme. Des femmes singulières, certes, V. Woolf toujours au bord de la folie, G. Stein affichant son homosexualité (peut-être était-ce plus facile dans l'exil, une Américaine à Paris échappait alors aux conventions qui corsetaient les femmes à cette époque). G. Stein écrit comme une chroniqueuse mondaine, favorisée par une oisiveté cultivée, et sa langue a la verve des paroles de femmes dont on dit qu'elles ont « la langue bien pendue »… V. Woolf écrit sur de petits faits quotidiens, ordinaires, familiaux ou vacanciers, avec la subtilité des digressions interminables, labyrinthiques qui sont familières aux femmes entre elles, si bavardes et si profondes en même temps. Je parle de ces femmes parce que je les sens à la lisière d'un féminin conventionnel, local, codifié et d'un féminin révolutionnaire, singulier qui annonce une littérature nouvelle, écrite par des femmes qui ne se prennent pas pour de l'homme universel, qui ne disent pas écrire avec du neutre, des textes hors sexe. C'est peut-être pour cette raison-là que dix ou quinze ans après, je relis des romans que j'ai découverts et lus autrement, ceux de V. Woolf en particulier.

Pourquoi est-ce que, partie de Léa, je termine sur des femmes écrivains, excentriques, chacune à sa manière et qui sont les écrivains de chevet des années soixante-dix, des années quatre-vingt et peut-être après, dans les siècles des siècles si aucune autre ne se déclare?... Depuis que je suis de l'autre côté, moins dans la consommation et plus dans la production, je ne sais plus donner de temps au plaisir de lire, à ce lieu solitaire et voluptueux où je me suis toujours protégée de moi-même, de l'Autre, du monde... Je m'aperçois que je continue à monter et à consolider des défenses lorsque je suis dans l'artifice de l'écriture ; je me protège de l'exil, de mon déséquilibre à la frontière entre deux codes incertains : le commentaire et la fiction. Le désir de fiction gagne, et me placer au cœur, au centre, dans la fiction fictionnelle, c'est me placer dans un lieu unitaire, rassembleur des divisions, des discordes meurtrières, des éclats de mémoire et d'Histoire avec toujours la tentation de la fuite, de la fugue, de l'aventure solitaire, du voyage au loin..., le lieu de l'éternité... Mais il m'a fallu oser passer à la fiction : le code romanesque, même s'il ne s'est jamais agi d'autobiographie, me paraissait encore plus exigeant ; et je continue à penser que la fiction est plus redoutable, corrosive et excitante parce qu'on y met son âme. Et puis, pour moi, la fiction c'est la suture qui masque la blessure, l'écart, entre les deux rives. Je suis là, à la croisée, enfin sereine, à ma place, en somme, puisque je suis une croisée qui cherche une filiation et qui écris dans une lignée, toujours la même, reliée à l'histoire, à la mémoire, à l'identité, à la tradition et à la transmission, je veux dire à la recherche d'une ascendance et d'une descendance, d'une place dans l'histoire d'une famille, d'une communauté, d'un peuple, au regard de l'Histoire et de l'univers. C'est dans la fiction que je me sens sujet libre (de père, de mère, de clan, de dogmes...) et forte de la charge de l'exil. C'est là et seulement là que je me rassemble corps et âme et que je fais le pont entre les deux rives, en amont et en aval... Ailleurs, et dans un temps, un espace que je ne peux consacrer à écrire, je suis presque toujours mal, en risque permanent d'hystérie ou de mélancolie..., de folie criminelle contre quiconque m'empêche d'exister en ce lieu unique, solitaire, sauvage.

Tu vois, commencer la lettre par ta fille Léa m'a promenée sur ma route, toujours la même, celle que je préfère depuis que je sais qu'elle est la mienne.

Embrasse les yeux d'agate de Léa et dis-lui de répéter comme ça, pour rien, ses «maman» sonores.

LEÏLA.

Lettre XXII

Paris, le 15 mai 1984

Leïla,

Voici encore une phrase du *Journal* de Virginia
Woolf qui me laisse rêveuse : « Suis allée hier chez
Carpenters, ai choisi des Indiennes. Cela vaut-il la
peine d'être écrit ? Peut-être. »

Femme écrivain toujours attentive aux menus faits
de la domesticité, Woolf était la première à comparer
ses livres à des enfants. A propos des *Années* : « Je me
demande si quelqu'un a jamais souffert autant d'un
livre que moi de celui-ci. Une fois sorti, je ne le regar-
derai plus jamais. C'est comme un accouchement
interminable. » A propos de *Trois Guinées* : « Ceci est
l'accouchement le plus facile de ma vie entière. » Et
ainsi de suite.

J'avais envie de répondre aussitôt à ta dernière lettre,
où il était justement question d'enfants et d'écriture...
Nous étions le 1er Mai et me sont revenues fortement
les images d'un autre 1er Mai il y a huit ans. C'était
l'année de la canicule inoubliable et il faisait déjà
chaud au mois de mai ; c'était aussi l'année apogée des
manifestations de femmes. Je venais de prendre mon
premier studio dans le Marais, de m'installer pour la
première fois résolument hors couple, je suis allée à la

Bastille et j'y ai retrouvé les femmes en fête, avec leurs slogans calembours, leurs chansons satiriques, leurs visages maquillés jusque dans le cou, et je t'ai vue, toi. Je te connaissais très peu, je t'avais rencontrée l'automne précédent autour du numéro des *Temps modernes* que tu préparais sur les «Petites filles en éducation», et justement tu m'avais dit, alors, être enceinte d'un deuxième enfant; il me semble qu'à l'époque tu disais espérer une fille mais il se peut que je me trompe; toujours est-il que ce 1er Mai 1976 tu étais là avec ton ventre rebondi, les traits un peu tirés sous les paillettes, et tu m'as dit: «C'est lourd — parlant de la grossesse —, c'est *lourd*, dans tous les sens du terme.»

Après ce jour, nous ne nous sommes pas revues avant septembre... et c'était la création d'*Histoires d'elles*. Tu avais accouché entre-temps, tu avais donc à la maison un bébé de deux-trois ans et un nourrisson. Déjà à l'époque et surtout après coup, après que moi aussi j'étais devenue mère, je me suis demandé d'où te venait l'énergie que tu apportais au journal, où tu trouvais les heures que tu lui consacrais, comment tu faisais, tout en continuant d'enseigner, de materner et d'«écrire pour toi» (comme nous disions), pour être si disponible à *Histoires d'elles*... La plus présente de toute l'équipe, celle qui avait le plus d'idées, qui prenait le plus d'initiatives, qui restait le plus tard le soir pour discuter et travailler encore avec les maquettistes, c'était toi. Tu étais là les mercredis, les samedis, les dimanches..., je n'en revenais pas. Encore maintenant, je n'en reviens pas! Te souviens-tu que lorsque le journal a cessé de paraître quatre ans plus tard — mais non, tu étais partie avant la fin; peut-être ne tenais-je pas encore ce discours-là —, je disais avoir peur parce que mon retour à la vie de couple coïncidait avec le retrait (ou le «recul stratégique») du Mouvement des femmes? Sans groupe, sans travail collectif pour me stimuler, n'allais-je pas sombrer dans le confort — rassurant, certes, mais combien peu subversif — d'un amour naissant? N'allais-je pas perdre ma capacité ou mon désir d'écrire, dont j'étais persuadée qu'ils surgissaient de la colère? Et plus le temps passait, plus les publications et les activités du mouvement se faisaient rares, plus je ressentais cette terreur de ressembler à... à qui? A ma belle-mère...? Quand Léa est née, en septembre 82, tous les médias proclamaient à qui mieux mieux la mort du féminisme, et de ma chambre d'hôpital j'ai téléphoné aux «répondeuses» pour me tenir au courant de ce qui se faisait encore; c'était au moment du comité de soutien pour M.-A., cette amie violée dont les agresseurs venaient d'être relaxés, et si j'en avais été physiquement capable, une semaine après l'accouchement, je serais allée par activisme aux réunions qui en parlaient..., à n'importe quelle réunion de femmes.

Hélas! le contexte dans lequel j'aurais pu tester mon énergie, cumuler mes forces militantes et maternelles comme tu l'avais fait, n'existait plus. Et la dépression *post-partum* a été d'autant plus profonde que je vivais complètement chez M. afin de pouvoir allaiter Léa, et chez M., il m'est impossible d'écrire. Perte d'identité, risible et prévisible : j'avais beau me dire que cette domesticité à outrance était provisoire; plutôt que de la savourer je m'y suis laissé noyer. Au bout de trois mois je pleurais matin et soir sur mon sort tragique de femme interrompue... C'est encore par activisme que je suis allée au colloque «Femmes, féminismes et recherches» à Toulouse au mois de décembre, ayant décidé que ce voyage marquerait le sevrage de ma fille; je me souviendrai toujours de la boîte de nuit homosexuelle (hommes/femmes) dans laquelle je me suis trahie en tant qu'«hétéro» : m'étant exagérément démenée sur la piste de danse, j'avais tout le devant du chemisier trempé de lait!

Lait, Léa... (Tu sais, entre parenthèses, je pense beaucoup ces derniers jours à l'histoire du roi Midas que j'ai relue en Crète. Ne pourrait-on interpréter cette légende comme une allégorie de l'écriture ? L'écriture qui, elle aussi, si on ne s'en garde pas, peut devenir un cadeau empoisonné ? On pense vouloir et pouvoir tout transformer en or, en mots dorés, phrases scintillantes, pages éblouissantes... On s'entraîne, et peu à peu on s'aperçoit que oui, parfois ça marche... Mais le risque qu'on court est de ne plus pouvoir toucher directement ce dont on a besoin : les êtres qui nous sont chers, les choses auxquelles on tient nous deviendraient aussi inaccessibles que la nourriture au roi Midas ; à force de tout métamorphoser en écriture, nous serions coupées de la réalité, interdites de vie... Nos enfants ne nous en voudront-ils pas, un jour, d'avoir parfois préféré écrire sur eux plutôt que d'être avec eux ? Fin de la parenthèse, que tu peux mettre sur le compte de la sempiternelle culpabilité des mères.)

Donc, Léa... C'est un nom qui peut se dire — chose assez rare — dans ma langue, dans celle de M. et dans notre commune langue d'adoption, le français. Mais en fait sa traduisibilité était une considération secondaire. J'ai eu le coup de foudre pour ce nom en regardant un spectacle — non pas *La Guerre des étoiles*, quoi qu'en disent les adeptes de la princesse Leïa, mais une pièce de théâtre juive intitulée *Le Dibbouk*. Un ami acteur avait adapté et mis en scène cette pièce en faisant jouer tous les (nombreux) personnages par lui-même et une amie ; quand il s'est mis à scander en lamentations le nom de l'héroïne Léa (et son diminutif Laïalé), j'en ai été médusée. C'est un nom tout en consonnes liquides et en voyelles ouvertes (oui, comme le tien, dont je ne savais pas avant de lire *Parle, mon fils...* qu'il signifiait « la nuit » — eh oui, moi aussi je suis troublée par la ressemblance Léa/Leïla, surtout quand vous êtes toutes les deux devant moi ; je t'appelle Léa, j'appelle Léa Leïla et j'en rougis)... Pour moi c'est un nom qui parle de *lait* ; du reste, en hébreu, il désignerait la vache.

En somme, ce n'est pas un nom latin ou méditerranéen que j'ai choisi, mais un nom juif. Et depuis que je sais qu'ils existent, les Juifs exercent sur moi une fascination qu'il m'est difficile d'expliquer. Je t'ai déjà écrit que mes premières histoires d'amour, je les ai vécues avec des Juifs new-yorkais. Ce sont eux qui m'ont fait connaître le Lower East Side de Manhattan ainsi que le West Bronx ; dans le premier quartier habitent surtout des Juifs pauvres et dans le second des Juifs aisés ; ceux-ci sont d'ailleurs souvent les parents de ceux-là et viennent leur rendre visite le dimanche... Ah ! le dimanche — jour d'expansivité, jour ouvrable dans cette partie de la ville, jour vivant qui contrastait de manière saisissante avec les dimanches morts de mon enfance, où tous les magasins étaient fermés et où l'unique activité sociale était l'Eglise... C'était peut-être cela à l'origine, tout bêtement : la titillation de la transgression. Je circulais dans les rues du Lower East Side au bras de mon ami, il y avait partout des étals de fruits, de légumes, de viande, de mercerie, les vendeurs nous interpellaient en criant leurs prix, nous entrions dans des *delicatessen* pour déjeuner de *bagels* et de *lox*... Les voix étaient fortes, les regards intenses, j'avais l'impression d'avoir chassé une fois pour toutes la fadeur écœurante de l'hostie, les sentiments sirupeux du catéchisme. J'aimais l'auto-ironie des Juifs, leur cynisme, leur affectivité souvent bruyante pour ne pas dire brutale. Je jubilais quand les parents de mon ami se moquaient des festivités autour de Noël, qu'ils traitaient de *goyische nachim* — terme yiddish que je n'ai jamais oublié et qui signifie « sottises de gentils » —, même si je n'avais aucune raison de prendre plus au sérieux leurs rituels à eux au moment du *Passim*, les Pâques juives...

Il y avait cela, plus le fait bien sûr que j'aie tendance à m'identifier à tout ce qui souffre (on ne se débarrasse pas si facilement que cela du petit Jésus). Tu as déjà relevé l'aspect morbide de l'intérêt que je peux porter aux femmes victimes ; or le peuple juif est en quelque sorte le souffre-douleur de l'humanité tout entière... Mais il n'y avait pas que cela. Aujourd'hui encore, je panique à la seule idée de perdre mon studio dans le Marais ; aujourd'hui encore je suis aimantée par ce peuple avec qui je n'ai au fond *rien* en commun. Il y a à cet attachement une raison plus profonde, à savoir l'altérité en tant que telle : seul trait qui relie tous les Juifs entre eux et le seul auquel ils tiennent tous. La religion ne joue pas ce rôle — tu connais comme moi de nombreux Juifs athées, et même si j'avais des aspirations métaphysiques je ne pourrais adhérer à une religion aussi exclusive, aussi chauvine que le judaïsme (sans même aborder la question de sa misogynie) —, la culture non plus — puisqu'elle est variable d'un pays à l'autre, notamment entre l'Europe centrale et l'Afrique du Nord —, ni la langue, ni la cuisine, ni les coutumes, ni la philosophie... La seule chose qui rende tous les Juifs semblables entre eux, c'est qu'ils sont différents des autres. C'est cela qui me fascine et c'est pour cela que je les respecte : parce qu'ils ont refusé l'assimilation, parce qu'ils ont revendiqué une appartenance qui, quand elle n'était pas une condamnation à mort, n'était souvent qu'un mot : mot dépourvu de sens précis, mais qui les empêchait de se fondre dans la masse de plus en plus homogène de la civilisation occidentale. L'image de l'exil généralisé — je parle des Juifs de la *Diaspora* ; je n'ai jamais été en Israël — est en quelque sorte la preuve réconfortante que mon exil à moi peut lui aussi être valable, ou du moins vivable.

Cela n'est pas sans rapport avec ce que tu disais de l'écriture : tu ne peux te réconcilier avec toi-même que dans le croisement ; tu n'es chez toi que dans un lieu qui n'en est pas *un*. Je n'y avais jamais pensé, mais le fait que l'une et l'autre nous écrivions des essais *et* des romans est peut-être lié à notre exil : nous faisons l'aller-retour entre les genres, nous appliquant à en brouiller les « frontières »... ? Mais, comme toi, je me sens de moins en moins à l'aise dans l'essai, si non conventionnelle que soit sa forme. Je n'aime pas avoir à mener le lecteur par la main, à lui montrer comment le point B de ma démonstration découle logiquement du point A... Quant à la fiction, c'est un monde d'une liberté si absolue que c'en est terrifiant, et inventer soi-même des lois pour réduire cette liberté est une activité vertigineuse. Pour écrire *Les Variations Goldberg*, afin de ne pas nager dans l'arbitraire, j'ai dû me créer des contraintes formelles considérables — et que je vois rétrospectivement comme excessives. L'évolution du roman sur lequel je travaille en ce moment est déjà plus imprévisible : je ne sais pas du tout où cette *Histoire d'Omaya* va m'entraîner...

Sais-tu que, chaque fois que nous nous sommes vues en tête à tête cette année, j'ai trouvé le moyen de nous embourber dans la thématique de ce livre ? Tourner en rond en voiture dans une banlieue inconnue sous une pluie battante..., attendre le bus une demi-heure avant de renoncer et d'emprunter les couloirs infinis du métro Bastille..., se faire coincer à cause d'une manif dans un embouteillage avec une voiture qui chauffe..., toutes ces scènes cauchemardesques, je les ai écrites ces derniers mois ou bien je m'apprête (Midas impénitent !) à les écrire.

Dans cette correspondance, nous n'avons rien à prouver mais beaucoup à trouver ; c'est ce qui me plaît en elle.

NANCY.

Lettre XXIII

Paris, le 22 juin 1984

Nancy,

C'est comme si recommençait l'été dernier, où je t'écrivais de *La Coupole* sur du papier maison, et là, au deuxième jour de l'été, du bateau d'une brasserie, je t'écris après une année de correspondance fidèle. J'aime ces brasseries du matin, désertées par ceux qui se couchent trop tard pour les occuper dès 11 heures. Je suis seule, loin des homards de l'aquarium ; la caissière mange de l'autre côté de la barre dorée, servie par le garçon qui lit la carte comme s'il ne la connaissait pas déjà. J'aime savoir que pour Shérazade je passerai juillet, seule, à Paris, à la dérive, de brasseries cossues en bars minables et sales tenus, comme à Barbès ou à Pigalle, par des hommes seuls pour des hommes seuls qui mangent tous des beignets huileux, trempés dans un verre de café au lait. Ils mangent sans se parler, autour des tables de Formica triste et pisseux, les pieds sur les papiers-boucher dans lesquels le marchand enveloppe les beignets chauds sans sucre. Les femmes ne restent pas au comptoir dans ces cafés-là, et lorsque je le fais je sais que les hommes me regardent, qu'ils parlent de moi en arabe, même si je ne comprends pas tout ce qu'ils disent. Ils font semblant de ne pas me voir et c'est de moi qu'ils parlent entre eux. Souvent le plus jeune, le plus bavard, celui qui fait rire les autres, se lève, va vers le comptoir, du côté de la bassine à beignets, vers la porte, il fait quelques pas sur le trottoir, revient dans le café, s'assoit, parlemente, se lève à nouveau ; une femme qui reste trop longtemps debout, comme ça, comme moi, qu'est-ce que ça signifie, qu'est-ce qu'on peut en attendre ? Je ne veux pas sourire devant eux, je souris au-dedans, comme chaque fois que je me trouve dans un lieu où je ne suis pas à ma place, où je transgresse un ordre, un code tacite, où je pense être prise pour qui je ne suis pas, où ma manière dévergondée de regarder les hommes, sans baisser les yeux, n'est pas coutumière des femmes qu'ils connaissent et qu'ils font certainement travailler — d'où viendraient les gourmettes, chaînes, chevalières en or qu'ils exhibent, pas tous bien sûr, mais les plus jeunes, les plus séduisants. Ils ne me regardent plus, lorsqu'ils ont compris qu'ils ne trouveront pas les signes qu'ils cherchent. Je n'existe plus, je ne suis pas une femme ou je suis si loin qu'ils ne vont pas se fatiguer. Ils ont du temps, ils étaient encore là quand je suis repassée après deux heures d'errance dans les rues du tiers-monde misérablement exotiques, dans un quartier qui sera nettoyé, rénové, reconstruit pour des cadres parisiens insipides. J'ai pensé que la saleté, le bruit, la merde, contre lesquels finalement on s'est toujours insurgés en bons « progressistes » que nous sommes, en « moralistes » pour qui la misère, la prostitution, le proxénétisme, les trafics de corps, d'argent, de drogue... c'est le mal, au fond..., donc j'ai pensé que je me mets petit à petit à tenir à des marques de résistance à la normalisation occidentale, même dérisoires, et quand j'entends le rire satisfait et riche des deux Américains de la table voisine, je tiens plus encore à ces métèques dont je suis en partie, métèque colonisée certes... L'un des deux Américains ressemble à un acteur de cinéma, à une figure de pub et à Norman Mailer qui lui-même a la gueule de Marlon Brando... Tu sais, ces visages bronzés de Blancs qu'on voit dans *Dallas*, jeunes encore avec des cheveux gris ou blancs et des yeux bleus qui doivent leur venir de leurs ancêtres de l'Europe du Nord ; de ces hommes qui plaisent aux jeunes filles parce qu'ils ont de beaux yeux, un peu fatigués et tendres. Ils parlent une langue que je n'ai jamais voulu apprendre. Je sais que je me prive ainsi d'un univers, d'une sensibilité, que je connais à travers les films américains et les héros errants, sauvages, vagabonds qui parlent une langue rude, bruyante, hyperbolique. Ces hommes d'un pays lointain et vaste que je ne pourrai atteindre que si quelqu'un m'y contraint avec passion, et Dominique, lui, a une passion pour les Etats-Unis. J'ai peur de préférer, au pays lui-même, la manière dont il en parle. Ce que je voudrais, c'est traverser les U.S.A. d'est en ouest et du nord au sud, dans une Mustang vert bouteille. Dominique conduirait, on écouterait la radio, on ne visiterait rien, on aurait des cassettes de cantates et de *lieder*, surtout des voix de femmes, on mettrait le son au maximum (ce que je ne supporte pas quand Dominique le fait à Paris dans un appartement), on se parlerait en criant, et dans les silences Dominique parlerait. J'aime qu'il soit si bavard et jamais ennuyeux. Je me dis que c'est comme ça que j'aimerais mourir : un arrêt du cœur, en même temps que D., dans la traversée d'un pays immense que je découvre ou d'un pays que je connais et que j'aime depuis toujours : la France, l'Algérie, l'Italie... Voilà comment je voudrais être aux U.S.A., tout de suite dans le paysage avec de temps en temps des Américains que j'entendrais parler, sans chercher à comprendre ce qu'ils disent, sans leur parler. Je ne parlerais pas plus avec des Noirs, des métis, des Portoricains, des Mexicains, des Haïtiens, je les entendrais, c'est tout, et D. traduirait ou non ce qu'ils diraient en anglais. Je comprends l'espagnol, c'est moi qui ne traduirais pas pour D. parce que j'aime seulement entendre. C'est ce que j'ai toujours fait pour la langue de mon père, de ma terre natale. Je t'ai dit que je ne l'ai jamais parlée couramment. Je connaissais des phrases, des expressions de la langue populaire que parlent les enfants arabes et tous les Algériens qui ne sont pas dans les médias et les institutions aujourd'hui. Je n'ai jamais parlé des morceaux d'arabe que dans des cas particuliers : une langue simple, quotidienne, stéréotypée que je ne pratiquais pas assez pour la connaître. Pendant sept ans au lycée, j'ai appris l'arabe classique... en vain. Je savais lire les mots, les phrases parce que je connaissais l'alphabet, j'avais un accent qui faisait rire les filles qui parlaient l'arabe comme langue maternelle... Si je l'avais appris comme une langue étrangère, j'aurais pu devenir une arabisante érudite, comme certaines Françaises dont une femme, mon professeur au lycée de Blida. Elle était française, fille de colons de Bonfarik (Jules Roy en parle dans sa saga algérienne *Les Chevaux du soleil*), lettrée en arabe classique, femme d'un avocat algérien. C'était une grande femme que je trouvais très belle. Elle avait des yeux verts qui m'impressionnaient. Par amour pour elle j'ai appris un poème en arabe, par cœur, sans le comprendre. Le reste du temps passé dans les cours d'arabe, je copiais sur ma voisine qui se plaçait toujours devant moi et écrivait plus gros par amitié. Tu imagines ma nullité... Ce que je connais de la civilisation et de la culture arabo-islamiques, je le sais par les livres écrits en français ou traduits de l'arabe, de l'anglais, de l'espagnol. J'aurais pu, après le lycée, apprendre l'arabe. Je ne l'ai pas fait, je ne le ferai pas, peut-être mes fils... ? Naïvement je crois qu'apprendre l'arabe maintenant aurait le même effet qu'une analyse... M'allonger sur un divan et suivre des cours d'arabe, cela reviendrait au même... Il me semble que le jour où je déciderai d'apprendre à lire, écrire et parler l'arabe, j'irai mal...

Je veux dire que ce sera le signe que je suis sèche, que je n'ai plus d'inspiration.

La femme d'à côté dans le bateau de la brasserie où je suis encore réclame : la salade est immangeable. Elle n'a jamais goûté aux abominables sandwichs tunisiens : salade-merguez-frites-harissa que j'aime manger par perversité… C'est l'ordinaire des vagabonds des villes, en exil, en transit, en diaspora de la misère. Ceux-là ne vont pas dans les *fast-foods*, ça leur fait encore peur ; plus tard lorsqu'ils seront des Anciens, remplacés par des clandestins d'outre-mer qui arrivent juste de la montagne, de la brousse, du désert, des mornes… Tu vois, je ne sais pas quand je me corrigerai de cette position toujours en zone frontière. Jamais, peut-être, sauf quand je serai fatiguée, ma curiosité émoussée, mon regard vitreux, mon attention en sommeil.

J'ai pensé à mon père ces derniers jours. Je me suis demandé si ce n'est pas l'exil qui l'a affaibli, plus que l'âge (il a soixante-dix ans, ce n'est pas si vieux). Pour la première fois de sa vie mon père a des ennuis cardiaques. Il a toujours eu de l'asthme, je suis habituée depuis l'enfance à ses crises de suffocation, mais là, mon père est sur un lit d'hôpital le cœur malade. Je ne peux croire que ce sera grave. Et c'est dans le pays de ma mère, la Dordogne, que mon père, patient dans son exil (il porte bien son nom : *Sebbar*, c'est « le patient »), se couche dans une chambre d'hôpital, isolé, sous surveillance, avec pour seul lien à sa terre ma mère qui connaît son village et sa maison natale en Algérie. Je ne sais ce que pense mon père dans ce petit hôpital près de Périgueux. Je ne le saurai pas parce que je ne demanderai rien et que mon père, s'il est un homme de patience, est aussi un homme de silence. Je ne sais pourquoi, je me suis mise à penser à quel point j'écris depuis le début sur du manque, un manque fondamental, et je n'ai même pas inscrit sur bande magnétique la voix de mon père, en français et en arabe. J'écris sur du silence, une mémoire blanche, une histoire en miettes, une communauté dispersée, éclatée, divisée à jamais, j'écris sur du fragment, du vide, une terre pauvre, inculte, stérile où il faut creuser profond et loin pour mettre au jour ce qu'on aurait oublié pour toujours. J'ai peur de la mort de mon père. J'ai peur d'un tarissement, parce que je comprends aujourd'hui qu'il est ma source et ma ressource dans la langue française qui serait restée lettre morte, simple outil d'expression, de communication, sans l'histoire paternelle, sans l'aventure croisée, amoureuse de mon père et de ma mère, de l'Algérie et de la France liées dans l'occupation, la guerre, le travail de colonisation et de libération.

Hier j'ai vu un camion devant la fenêtre, je ne sais pas ce qu'il transportait; sur le flanc j'ai lu GLAS, ce seul mot sur une surface blanche très large... J'ai pensé au livre de Derrida, *Glas*, qu'il a écrit après la mort de son père. J'ai failli lui téléphoner, on se connaît depuis si longtemps sans se voir beaucoup, depuis Alger, il y a plus de vingt ans. Et voilà que je remarque à l'instant que, sur l'étagère à gauche de la table où je poursuis cette lettre chez moi, il y a un paysage de campagne française qui ressemble au village natal de ma mère, Chenaud, en Dordogne dans le Périgord vert, et une aquarelle du cimetière marin de Cargèse, au pied des jardins privés qui descendent de la colline entre les églises qui se font face, la latine et la grecque. C'est un beau cimetière de poupée, lumineux comme celui que je voyais, enfant, sur une colline, au-dessus de la mer dans un petit port à la frontière du Maroc, Port-Say. C'était un cimetière-jardin qui ne me faisait pas peur comme les grands cimetières français de France. Posé à demi sur l'aquarelle, un album de photographies de Marc Garanger sur la guerre d'Algérie. En première page on voit un combattant barbu, menottes aux mains, le crâne rasé, le regard droit, violent, insolent. C'est pour moi l'image symbole du guerrier résistant. Pourquoi chevauchet-il là, sous mes yeux, le doux cimetière marin et le vert pré d'un paysage français ? Ces images, ces objets dont je t'ai parlé et qui m'enserrent, me protègent ; je me fabrique ainsi l'imaginaire qui m'a si longtemps manqué, parce que je m'interdisais, en période d'assimilation, je pense, de donner forme par artifice à ces morceaux de mémoire. Tu te rappelles, pour le film sur *Histoires d'elles*, Dani un jour m'avait posé une question qui m'avait surprise, sur les chameaux dont je faisais collection par jeu, sous forme de broches, peintures, aquarelles, cartes postales, paquets de cigarettes... J'en avais découpé un jour pour le montage sur Mai 68 dans le journal, au milieu des barricades de la rue Gay-Lussac... et Dominique Doan m'a donné un beau dessin au crayon de couleur où un paysage niçois avec palmiers donne son relief à un paquet de Camel. Je n'avais pas su répondre à la question de Dani. Je n'aime pas spécialement le chameau, je n'ai pas vécu dans le désert, ce n'est pas pour moi un animal familier... C'est une bête qui fait partie des stéréotypes de la pacotille exotique, mais c'est aussi l'animal des nomades. C'est peut-être ce qui me séduit ? Je ne sais pas. Je continue à chercher des chameaux en plomb, en bois, en photographie, en caravane...

Ce qui me plaît, lorsque je t'écris, c'est que j'ai chaque fois dans l'idée, avant de commencer, de te parler de ceci ou de cela et que je te raconte tout autre chose, pensant sans arrêt à ce que je voulais te dire, ne le disant pas, jusqu'à la fin de la lettre et la lettre suivante ne commence jamais par ce qui devait figurer dans la précédente...

Tu ne seras pas à Paris. On ne se verra pas jusqu'en septembre. On s'écrira mais parle-moi de Léa, de ta seule petite Française...

LEÏLA.

P.-S. J'apprends ce matin 26 juin 1984, au moment de t'envoyer la lettre, la mort de Michel Foucault. Encore un père spirituel qui laisse des orphelins dans la génération 68, avant et après... Barthes, Lacan, Sartre, Althusser mort d'avoir tué sa femme... Simone de Beauvoir restera la dernière, veuve de ses contemporains et de certains de ses fils ?

Lettre XXIV

Ardenais, les 5-6 juillet 1984

Leïla,

Oui — plus d'un an déjà que dure cette correspondance ; je sens qu'un cycle a été accompli puisque je me trouve de nouveau en Berry — devant mes yeux, la belle broche « Le Berry » que tu m'as offerte, visage de femme vu de profil avec une encolure brodée, deux mains en relief qui tiennent des aiguilles à crocheter — et tout est semblable à l'année dernière. Tu dis que d'une lettre à l'autre tu n'écris jamais ce que tu as l'intention d'écrire ; tu pars à la dérive et tes idées de départ sont laissées en suspens... Pour moi c'est tout le contraire. Dans chaque lettre je mets à peu près tout ce que je me suis promis d'y mettre ; je signe en ayant l'impression que cette fois-ci c'est terminé, que je n'ai plus rien à dire au sujet de l'exil..., et puis, petit à petit, dans les jours qui séparent nos missives, ça me travaille, je me mets à prendre des notes mentales, et au moment où je reçois une nouvelle lettre de toi j'ai la tête qui éclate et je trépigne de trouver le temps pour en déverser le contenu... On doit sûrement se répéter — mais jamais dans l'identité ; chaque fois que nous revenons sur un thème, c'est pour le reprendre, me semble-t-il, par un autre biais et pour d'autres raisons.

Ta dernière lettre parle de la défaillance des pères : maladie de ton père réel, maladie et mort de ce père spirituel qu'était Michel Foucault. Pour le premier, je ne peux que te dire toute ma sympathie, plus mon espoir d'une remise rapide pour cet homme qui est en ce moment «patient» dans tous les sens du terme. (Ainsi ton nom entier, c'est «Nuit patiente» — quelle poésie !) Pour le second... au moment de l'apprendre, j'ai été atterrée moi aussi par la mort de Foucault, ensuite de plus en plus agacée par le tapage qu'a fait la presse autour de l'événement. «Le dernier grand penseur français vient de nous quitter», déclarait-on un peu partout, et d'enchaîner avec des témoignages interminables, aussi vides que dithyrambiques, sur l'homme et sur son œuvre. C'est, je crois, un phéno- mène spécifiquement français ; du moins je ne peux penser à aucun intellectuel américain dont la mort provoquerait des excès rhétoriques semblables. D'où vient ce besoin de sacraliser le monde des idées ? «Le dernier grand penseur français»... et Derrida, juste- ment ? et Lévi-Strauss ? Michaux ? Blanchot ? — et quand ceux-là seront morts, et chacun enterré en tant que «dernier grand penseur français», d'autres monstres sacrés auront déjà pris leur place et nous pourrons passer notre temps à les encenser ou à les enfoncer jusqu'à ce que, à leur tour, ils disparaissent.

Je suis dans une période plutôt antifrançaise. Le mois de juin a été complètement chaotique : si je te le décris, les raisons de mon humeur s'en dégageront peut-être... Pour commencer, avec Léa, je suis allée passer cinq jours en Espagne. Ma sœur cadette, qui venait de recevoir son diplôme de médecine, avait décidé d'y venir avec sa fille à elle (qui a deux mois de plus que Léa) pour une cure d'exotisme et d'insou- ciance. Nous nous sommes donc donné rendez-vous à San Sebastián : deux grandes filles qui ne se connais- saient presque plus à force d'être séparées, et leurs deux petites filles qui commençaient tout juste à parler, l'une en anglais et l'autre en français. Pour moi, c'était tout sauf une cure d'exotisme et d'insouciance. J'ai trouvé éreintant de sans cesse trimballer Bébés, Bagages, Bouteilles d'eau et Boîtes de Biscuits, de l'hôtel à la plage, de la plage au café, du café au restaurant et du restaurant à l'hôtel. On se déplaçait parfois en taxi ou en bus mais surtout à pied, à pied et encore à pied, sous un soleil sans merci. (Entre parenthèses : à Madrid, après m'être fait délester de 1 000 francs et de mon billet de retour parce que j'avais eu la bonne idée de changer Léa sur le trottoir au milieu d'une foule, nous sommes allées toutes les quatre, pour nous remonter le moral, au zoo. C'est pourquoi, sur la photo ci-jointe, tu me vois avec ma nièce Claire devant les pauvres chameaux exilés du Sahara.) (Nouvelle parenthèse : forte de tout son savoir médical, ma sœur m'a appris que c'est aux chameaux — aux chamelles ? — que nous devons le stérilet. Les nomades ne voulant pas que leurs bêtes de somme femelles deviennent grosses pendant les longues traversées du désert, ils leur ont ingénieusement introduit dans l'utérus... des pierres.) Bref. Pendant tous ces déplacements et au milieu de toutes ces activités touristico-maternelles, ma sœur n'a jamais manqué une occasion, pour peu qu'elle en eût le souffle, d'entamer une conversation sérieuse. Elle me posait des questions sur ma vie — sur l'exil, justement ; sur l'écriture et l'amour ; les choses qui comptent, quoi — et elle s'ouvrait aussi à moi, me racontant ses projets et ses déceptions, ses convictions politiques, sa philosophie de l'existence. J'en ai été interloquée — et immensément reconnaissante. Je me suis rendu compte que ce genre de conversations me manquait beaucoup. Hormis M. et un très petit nombre d'ami(e)s, j'ai l'impression que *personne* en France ne me parle de cette façon. Et encore, parmi les trois ou quatre ami(e)s, l'une est née en Algérie, l'autre au Maroc, l'un est sud-africain... il n'y a guère qu'Hélène qui soit à la fois française et portée sur la *conversation* (le mot est beau : il vient de *vivre avec*).

Peut-être le goût de l'intimité était-il exagérément présent dans ma famille et peut-être est-ce la raison pour laquelle il me manque. Tu décris ton père comme un homme de silence ; le mien est un homme de confession. Non pas au sens religieux du terme, comme synonyme de l'aveu — non —, pour lui, dans les discussions, chacun devait se chercher, aller toujours plus loin dans la découverte et la révélation de soi. Parler, c'était une manière d'apprendre à connaître à la fois ses propres sentiments et ceux de l'autre. Dans sa famille à lui, cette tendance (avec l'ajout, précisément, d'une dimension religieuse) avait été poussée à la caricature. Toute ma vie je me souviendrai d'une conversation que mon père a eue avec son frère, dans la gare routière d'une petite ville américaine. Mon oncle décrivait, avec intensité et force larmes, les funérailles de leur mère qui venaient d'avoir lieu au Canada en l'absence de mon père. Il citait de mémoire les différents discours qui s'y étaient tenus. Leur père pasteur avait parlé de la paix enfin trouvée par son âme au ciel ; leur sœur missionnaire avait parlé de la joie de Jésus à l'y accueillir ; tel ami de longue date avait fait l'éloge de ses œuvres de charité… J'invente, bien sûr, mais dans la litote plutôt que dans l'hyperbole. Or, ce récit grandiloquent était hachuré par les annonces d'arrivées et de départs, claironnées au haut-parleur. Je regardais les deux frères se regarder par-dessus la table en Formica du café de la gare et, tout en étant remuée moi aussi par l'évocation de ma grand-mère décédée, je ne pouvais m'empêcher de trouver cet échange saugrenu. Tout comme ma sœur en Espagne, mon oncle et mon père réussissaient à faire abstraction du lieu et des circonstances dans lesquels ils se trouvaient, tant était impérieux leur besoin de se parler.

De retour à Paris, j'ai été déconcertée par le contraste entre la douceur retrouvée des conversations canadiennes et l'«esprit» obligé des fréquentations françaises. Il s'agissait comme toujours, bien entendu, d'un effet d'optique..., mais soudain, j'ai trouvé les Français insupportables. Guindés. Suffisants. Voilà, je vais me laisser aller dix secondes à la diatribe... On dirait qu'ils se font un point d'honneur de ne jamais poser une question aux autres, de ne jamais trahir un manque de renseignements à quelque sujet que ce soit, surtout de ne jamais s'impliquer eux-mêmes en tant que sujets. Ce n'est pas qu'ils ne parlent pas : ils affichent leurs opinions, racontent leurs voyages, décrivent le dernier livre qu'ils ont lu, le dernier film qu'ils ont vu ou bien les critiques de journaux qui en rendent compte... Mais c'est comme si le seul trait pertinent de la discussion était sa brillance : c'est à qui trouvera les phrases les mieux tournées, les formules les plus léchées, les adjectifs les plus variés pour capter une expérience à peine vécue...

Fin de la diatribe. Car, arrivée là, je ne peux que me demander si *moi*, je vis mes propres expériences. Et me répondre que... non, pas vraiment. Je m'en distancie à ma façon, c'est-à-dire par le simple fait de vivre en pays étranger. C'est indéniable : ma fixation sur la langue française a (entre autres) pour résultat que, la plupart du temps, j'ai l'impression de vivre entre guillemets.

Voici comment cela a commencé... C'était au printemps 74, lors d'une des premières rencontres féministes auxquelles j'assistais : un groupe de femmes qui se retrouvait chaque semaine dans un appartement du IXe arrondissement pour débattre de questions «brûlantes». La pièce était pleine à craquer et tout le monde criait en même temps... Tout le monde sauf moi qui me taisais. J'étais abasourdie par ces belles Françaises qui vociféraient avec tant d'éloquence et tant de sophistication politique. Le soir en question, elles discutaient avec fureur de la meilleure manière de riposter à je ne sais quel penseur mâle qui avait

écrit (si mes souvenirs sont exacts) que l'homosexualité féminine était en passe de devenir un fléau social.
Indignations, sarcasmes, répliques cinglantes volaient
dans tous les sens, je tournais la tête d'une femme à
l'autre, et peu à peu j'ai commencé à partager leur
outrage, à sentir monter en moi le scandale... Et
quand, fort tard, la réunion s'est terminée et que je
suis rentrée chez moi, j'ai pris le dictionnaire pour y
chercher le mot «fléau». Je n'avais pas la moindre
idée de ce qu'il voulait dire. En fait, toute la discussion m'avait été incompréhensible. (Je pourrais citer
bien d'autres moments cocasses : par exemple le soir
où, face à un étudiant boutonneux qui venait de me
faire une déclaration passionnée, je cherchais l'arran-
gement adéquat de mes traits tout en me creusant la
cervelle pour retrouver le sens du mot «épris».)

C'est ainsi que, dès le début, j'ai su qu'il y aurait
toujours un écart entre moi et les Français, ou plutôt
entre mes énoncés en français et les leurs. J'ai su que
pas une seule locution, si galvaudée fût-elle, n'irait
pour moi jamais complètement de soi. (Du reste, ce
sont les plus galvaudées qui vont le moins de soi : certaines formules françaises, notamment celles qui relè-
vent de l'argot ou de la langue obscène, me sont quasi
interdites parce qu'elles détonnent, forcément, dans
la bouche d'une étrangère. D'où ma fascination pour
ce lexique marginal auquel j'ai consacré ma seule et
unique étude universitaire. Quand c'est devenu un
livre — *Dire et interdire* —, une coquille affreuse a
changé la dédicace : «Pour mes deux mères, dans les
langues de qui je n'aurais jamais pu l'écrire» en :
«*sans* les langues de qui...»!!!)

Mais les mots déteignent vite sur les choses. On ne
peut pas être constamment en train de braquer la
lumière sur les tournures linguistiques sans question-
ner aussi les gestes, les comportements, les modes de
vie qu'elles reflètent. D'où le fait que j'aie l'impression
non seulement de parler mais de *vivre* entre guille-

mets. Pour être plus claire, il faut que je te raconte encore une petite histoire...

Notre nourrice berrichonne de l'an dernier était une femme de vingt-trois ans. A Paris, elle aurait été encore étudiante; ici elle était déjà bobonne et parfaitement contente de l'être. Mère de trois enfants, elle n'avait jamais eu envie de travailler à l'extérieur; elle raffolait de son intérieur, de « sa maison », disait-elle. Or, cet adjectif possessif revenait si souvent dans son discours (elle était prolixe, n'ayant presque jamais l'occasion de parler à des adultes) que j'en ai été frappée. Elle disait par exemple : « Je n'ai pas encore écossé mes haricots », « j'ai enfin eu le temps de repasser mon linge », et ainsi de suite. Ces « mon », ces « ma » et ces « mes » ne sont sans doute pas courants dans le parler domestique des ménagères modernes; ils appartiennent peut-être à une tradition populaire de la vie féminine au foyer; toujours est-il qu'en anglais ils sont impossibles, l'article défini étant de rigueur dans de tels cas. Du coup, je me suis mise à y réfléchir : ce sont des haricots achetés avec l'argent de son mari et qui seront mangés par ses enfants; en quel sens sont-ce ses haricots à elle ? C'est le linge porté par tous les membres de la famille; en quel sens est-ce son linge à elle ? De toute évidence, c'est parce que c'est elle qui effectue un travail sur ces objets; c'est elle qui transforme les haricots crus en haricots cuits et le linge sale en linge propre. Dans ce sens, il est vrai que ces choses lui appartiennent, tout comme on dit que la terre appartient à ceux qui la travaillent. Jusque-là, tout va bien.

Mais il se trouve que je ne peux pas, moi, employer ces adjectifs possessifs dans mon discours domestique. Donc, quand je bavarde avec la nourrice berrichonne, ou plutôt quand j'opine de la tête en l'écoutant, je suis en train de vivre entre guillemets. Et quand je reviens à « ma » maison — que ce soit à Paris ou en Berry —, ce « ma » sera encore et toujours entre guillemets, car cette maison, c'est M. qui l'a choisie, achetée, meublée; j'y suis en permanence comme une invitée privilégiée qui participe aux tâches d'entretien. (Dans le studio qui est vraiment «à moi», je n'ai ni haricots ni linge; je n'y vais que pour lire et écrire.)

Mettons que, ce soir, je décide de faire une pâte feuilletée. Je sais où se trouvent le rouleau à pâtisserie et les ingrédients nécessaires, je revêts un tablier campagnard qui se trouve dans l'armoire campagnarde et je plonge les mains (en anglais on dirait: mes mains) dans la farine. Pendant ce temps, Léa m'observe. Je me vois en train d'observer ma propre mère en train de faire une pâte feuilletée. Je me dis: oui, mais ma mère le faisait au premier degré, alors que moi je le fais au deuxième. Bien sûr, pour Léa, je le fais au premier degré. Il n'empêche que je suis en fait une intellectuelle qui joue à la ménagère. Bien sûr, ma mère était elle aussi une intellectuelle. Il n'empêche que moi, je peux prendre plaisir aux activités domestiques parce que je n'y suis pas contrainte. Donc, je ne fais pas vraiment une pâte feuilletée, je «fais une pâte feuilletée». Je «travaille dans le jardin». Je «fais un brin de causette avec la marchande de journaux»... Cela peut aller très loin. J'«enseigne l'anglais à des fonctionnaires français», je «me dispute avec l'employé de la poste»... Dans la mesure où je vis en pays étranger, tout ce que je fais me semble un peu étrange; mes gestes ne coïncident jamais parfaitement avec l'image que je m'en fais.

J'espère que ce n'est pas confus. J'émerge de mes «guillemets» pour te dire à quel point je tiens à toi. Je n'aime pas te penser abattue. Que fais-tu, Nuit patiente énigmatique, à Paris et seule ce mois de juillet?

Léa, elle aussi, porte bien son nom: elle s'est découvert une passion pour les vaches et insiste pour aller les saluer — «Au voi, *eeuh*!» — chaque soir avant de se coucher.

NANCY.

Lettre XXV

La Gonterie, le 19 août 1984

Nancy,

Voici le seul papier à lettres dont je dispose ici, dans ce village de La Gonterie, en Dordogne, où il n'y a aucun commerce. Je passe un mois avec Ferdinand et Sébastien, sans voiture, recluse, organisant la vie quotidienne avec deux enfants comme si c'était la pénurie. La ville la plus proche est à sept kilomètres. Je n'ai pas dans la maison le congélateur de rigueur quand on vit dans un village isolé ; je suis comme dans une ville, pour l'insouciance, avec les soucis d'un hameau où il faut attendre les klaxons du boulanger, du boucher, de l'épicier... Donc c'est grâce au camion bleu de l'épicier ambulant que j'ai eu ce papier rayé qu'on ne trouve plus à Paris et qui pourrait t'apparaître comme une coquetterie de Parisienne aux champs..., ce que c'est, au fond... Ça m'amuse d'être là comme en temps de guerre (guerre douce), utilisant au plus juste les vivres, achetant sur liste (ce que je ne fais jamais ailleurs), cochant à mesure et inscrivant, jour après jour, ce qui manque au fonds de maison et à la consommation courante, coupant les tranches de pain comme on devait le faire dans les pensions ou les orphelinats, avec le plus grand discernement et une pointe agréable d'avarice, menaçant les enfants de la famine proche s'ils prennent dans le frigo à toute heure les dernières victuailles comme ils le font à Paris... J'agis comme une mère de famille nombreuse, économe et perspicace qui met toute son ingéniosité à varier les menus, à rendre appétissante une nourriture un peu limitée et répétitive... Je comprends pourquoi certaines femmes sont si pointilleuses sur l'économie domestique, *leur* économie domestique (là je pense à ma mère, mais pas seulement). Tu parlais dans la dernière lettre de ces adjectifs possessifs qui marquent chez les femmes à la maison, les femmes dans leur maison, leur territoire de travail. Je me suis surprise plusieurs fois ces jours-ci à dire, même en riant, « ma lessive », « mes lardons », « mon pain grillé »..., « ma vaisselle »... Chaque fois que je répondais à la sollicitation agressive d'un enfant, je me protégeais par l'urgence d'une tâche que j'étais la seule à faire, à contrôler, à mener jusqu'au bout. Je disais cela en riant pour moi-même puisque je n'étais pas entendue par un autre adulte, mais avec un petit plaisir quand même. Une fois par an, pendant un mois, je suis totalement une femme et mère au foyer, sachant que je ne pourrai lire que vingt à trente minutes le soir après 10 heures. Bien sûr, je suis aussi une heure chaque matin la mère institutrice. Comme je sais que je n'écrirai rien pendant ce mois-là, je n'ai pas à me résigner à cette situation, si courante pour tant de femmes et qui m'apparaît à moi comme artificielle et supportable pendant quatre semaines. Il y a une jouissance à créer sa propre économie domestique, singulière et efficace, ritualisée comme l'est tout procès de création. Mais il faut se prendre au sérieux, là aussi, et je n'y parviens pas au-delà de huit jours ; c'est à ce moment-là que l'hystérie me guette et il n'y a pas trois jours les enfants ont senti les effets de ce ras-le-bol rural et domestique. J'ai dû quitter la maison, ses hauts murs, pour aller marcher sur un chemin de terre blanche, jusqu'à un carré de vigne loin du village où j'ai ramassé des fossiles entre les pieds labourés. Je te parle de cela pour tenter de m'expliquer pourquoi j'ai tant de mal à m'accoutumer à la campagne, à la vie à la campagne. Peut-être que je m'impose des devoirs domestiques et maternels qui m'éloignent de la campagne, de la nature, de la terre, et même du jardin. Je ne sais jamais si j'aime ou non venir dans cette maison, dans ce village, dans cette région, la région de ma mère que je connais depuis que je suis enfant, puisque nous y venions presque chaque année pendant les vacances. Pourtant, je me sens à distance, toujours, et même pas comme un étranger qui aurait découvert un coin de France auquel il se serait attaché, comme c'est le cas pour plusieurs familles anglaises venues s'installer dans le Périgord vert (peut-être parce que les Anglais ont occupé plusieurs siècles ces régions du Sud-Ouest ?). J'aime traverser une partie de la France pour y venir, reconnaître les noms des villes et des villages quand on s'approche du Périgord, j'aime les paysages, j'aime les paysages de France, mais je crois que je n'aime pas être arrivée, et pourtant je n'irais nulle part ailleurs en France passer un mois dans un village isolé. Il me faut si longtemps, je suis si lente… C'est au bout de dix ans et plus que je commence à sentir une émotion pour tel moment de la journée, tel bruit du camion qui passe pour le lait, tel arbre posé seul et immense au milieu d'un champ de blé, telle rivière que je voudrais suivre comme si j'étais un peintre… Quelle émotion quand j'ai vu une fois des aquarelles modernes d'un peintre d'origine turque, Iscan, qui a suivi obstinément et peint la rivière Dordogne ; un Turc amoureux de la Dordogne, et c'est par ces aquarelles que j'ai chez moi que je reviens à la Dordogne, le paysage, et la rivière, et les rivières l'Isle, la Dronne. J'ai besoin du détour, toujours incapable d'arriver aussitôt à l'objet. Ce besoin de méandres interminables retarde l'émotion, si lente à venir qu'il me faut le temps et un paysage très dissemblable. Et puis, j'aime les unions contre nature... Alit, un jeune Turc en exil dans la Gironde, a épousé Brigitte, la fille du facteur de Saint-Privat-des-Prés, un petit village de Dordogne où personne ne vit jamais un seul Turc. Alit est beau, il est brun et il porte une moustache noire et épaisse, à la turque. Son père est un paysan anatolien et Alit a retrouvé chez Elise et Rémi, dans la maison familiale de sa femme, le roulement sonore du *r* de l'accent périgourdin et la terre... Chaque fois que je vois Alit je pense à mon père, le premier Arabe, il y a plus de trente ans, dans ce même village, dans la maison du facteur Rémi et d'Elise, l'amie d'enfance de ma mère, pensionnaire et comme elle à Ribérac..., il y a un demi-siècle...

Souvent je pense à toi et je t'envie cette adaptabilité que tu as, cette manière aimable de te sentir bien ou de le paraître, au point qu'on y croit, là où tu es, où que ce soit, avec qui que ce soit. Tu es souple et je suis si raide. Je me dis toujours que l'exil (ou mon croisement — c'est pareil pour moi —) m'a raidie, alors que pour toi l'effet contraire s'est produit et j'aime aujourd'hui, chez toi, ce qui me mettait mal à l'aise quand je te connaissais moins, cette façon que tu as d'aborder quelqu'un, pas nécessairement une personne proche, en lui manifestant par le geste du visage et du corps, et ta manière de dire bonjour ou au revoir qu'il existe. Peut-être je me trompe tout à fait aujourd'hui et j'avais raison avant lorsque je trouvais que «tu en faisais trop», ayant l'air de dire à chacun qu'il était le plus merveilleux, l'unique... Là, j'exagère un peu mais je crois que j'attribuais cette attitude à tes manières américaines, civilisées par les manières anglaises car, contrairement aux Américaines, tu ne cries pas; même si tu dis chaque fois quelques mots, tu ne les dis pas en hurlant; j'ai l'impression d'ailleurs que certaines femmes du mouvement ont copié cette façon de s'aborder, de se saluer, en exagérant la joie de se voir alors qu'on s'est quittées la veille... J'ai encore dans l'oreille des exclamations criardes et spectaculaires de femmes entre elles qui me choquaient toujours... Au fond je ne suis même pas une vraie «Méditerranéenne». Tu dis que tu parles et que tu vis souvent entre guillemets; je m'aperçois que, pour me définir, j'aurais besoin de tant de guillemets que finalement le mot disparaîtrait étouffé par la quantité des réticences. Je te parlerai de ma «francité», de la manière dont je suis française sans l'être tout à fait... une autre fois, si tu veux bien. Parce que au cœur du pays de ma mère, une région bien française où on ne rencontre guère d'immigrés — un Noir sur une route entre Bourdeilles et La Gonterie, ça paraît surréaliste... Les Sarrasins sont pourtant venus jusqu'ici, jusqu'à Périgueux et Poitiers..., mais il y a si longtemps —, donc dans cette région, je ne me sens pas plus française, malgré le jeu implicite et symbolique du retour au pays natal maternel. Peut-être si je décidais que cette région sera la mienne, par la mémoire qu'en auront Sébastien et Ferdinand, peut-être en accomplissant un travail sur cette maison et ce qui l'environne, le jardin, le pré, les terrasses... Mais pour l'instant je ne fais rien, tout en sentant bien que si je commençais à mettre les mains à la terre, je risquerais de m'éprendre par exemple d'une maison, d'un jardin, d'un village, d'une région. Je crois que je me garde de cette passion — ou je la réserve pour plus tard? Je pensais aujourd'hui au jardin que j'aimerais me fabriquer dans une terre vierge et je me suis aperçue que j'avais des idées bien précises de ce que je désirais; ça m'a fait peur, je n'y ai plus pensé, pour ne pas me laisser toucher par ça, cette tyrannie, ce nouvel ordre...

Pour la première fois, à l'automne dernier, *j'ai planté*. C'est un acte dangereux... Si on se met à planter, on ne s'arrête plus. C'est comme certaines femmes qui ne peuvent pas ne pas faire d'enfants. C'est incroyable de penser que lorsqu'on plante, ça pousse. C'est naïf ce que je t'écris là, mais ça m'émeut de me le dire, de le savoir. Donc j'avais planté trois figuiers. Des arbres à fruits, dans un grand trou, bien protégés par des fougères. J'en avais pris le plus grand soin.

Ils ont crevé tous les trois.

Tu imagines mon dépit... Pour une fois... Je n'ai pas la main verte de ma mère. J'ai la main sèche... Je ne sais pas si j'en replanterai.

J'ai pensé à toi en juillet et j'ai emporté à La Gonterie pour t'en parler — c'est par elles que j'avais l'intention de commencer la lettre — l'histoire de ces amazones africaines du Dahomey aux XVIIIe et XIXe siècles. Une armée de femmes formées pour la guerre de conquête, armée royale et redoutable où chaque guerrière est liée aux autres par un pacte du sang. Certaines d'entre elles étaient recrutées parmi des femmes criminelles, délinquantes ou coupables d'adultère..., des femmes déjà dans la transgression de l'ordre social et amoureux. Comme guerrières, elles ont le droit réservé aux hommes de tambouriner, de jouer du tam-tam, de construire leurs propres cases. Bien sûr elles sont célibataires, ne font pas d'enfants, et on leur donne des drogues abortives au cas où... Elles se livrent aussi à des pratiques occultes. J'allais oublier de préciser qu'elles sont excisées.

Elles sont terribles au combat et ne reculent pas devant le corps à corps. Je ne te donne pas le détail du paquetage, malgré le plaisir que j'ai toujours à dresser des inventaires — tu le liras ; je veux juste signaler que, dans son bagage militaire, l'amazone emporte le pagne qui lui servira de linceul. Il paraît qu'à la guerre, ces femmes qui «n'ont plus rien de féminin, n'ont plus rien d'humain», on les appelle les «Vierges noires». C'est en 1894, après la reddition du roi aux Français, que les amazones sont retournées au foyer qu'elles n'avaient pas fondé. Quelques-unes ont fait partie de la garde personnelle du roi, comme ces femmes gardes du corps de Kadhafi en Libye. Je te raconte cela parce que je sais que tu voudras lire ce livre — *Les Amazones* d'Hélène d'Almeida-Topor (Ed. Rochevignes et *Jeune Afrique* magazine) — et que tu as écrit sur les femmes et la guerre (tu y penses encore ?), mais aussi parce que je continue à être fascinée par des femmes dans la guerre, des femmes guerrières mais pas toutes... Par exemple, sacrifier des femmes pour une guerre de conquête, une guerre d'empire, ce qui était le cas de ces amazones africaines, me paraît scandaleux, alors que des femmes dans une guerre de résistance, ça me bouleverse. J'ai eu les larmes aux yeux devant une photo de Robert Capa sur la guerre d'Espagne où on voit deux femmes à l'entraînement : l'une initie l'autre au tir en rase campagne. Elles sont provisoirement engagées dans un autre état que celui auquel elles étaient destinées, elles sont toujours des femmes, pas des militaires, même si le ceinturon ou le pantalon sont de l'armée. Elles ont des gestes féminins pour tenir un fusil et viser la cible. Elles ne veulent pas faire la guerre, elles ont dans la tête et dans le corps l'idée de la liberté. C'est ce qui fait la différence. Je t'envoie cette photo et celle des amazones du Dahomey (aujourd'hui le Bénin). Les deux femmes résistantes de la guerre d'Espagne, on voit à peine leur visage, elles portent des pantalons informes et je les trouve belles, elles existent, elles sont vivantes. C'est la grande que j'aurais aimé rencontrer... Si elle n'est pas morte au front, comme l'amie de Robert Capa, elle est vieille.

Chaque fois que je t'écris, je ne veux pas finir et je pense à quand on décidera d'arrêter. Qu'adviendra-t-il de nous ? de notre liaison épistolaire ? Que restera-t-il de ce plaisir d'écrire une lettre à Nancy et qu'elle réponde ? Que ferons-nous d'autre ensemble ? Ecrire ces lettres me fait penser à ce que tu disais dans ta dernière lettre de la force des conversations dans ta famille. Nous poursuivons là une conversation qui me plaît toujours.

J'ai oublié de te parler de V. S. Naipaul. Peut-être la prochaine fois.

Je t'envoie cette carte postale folklorique d'une Périgourdine au milieu de ses volailles. Sauf aux fêtes de village où elles se déguisent encore, les femmes sont infiniment plus laides et tristement vêtues. Si on enlève cette figure de musée, la basse-cour et la cabane au fond restent, telles que je les ai vues à Puygombert, un hameau près de La Gonterie où vit une famille de fermiers dont les deux petites filles n'ont jamais vu la mer.

Ferdinand et Sébastien arrivent d'un méchoui en Périgord auquel je n'ai pas assisté, craignant l'hérésie. Et puis j'ai pu t'écrire...

LEÏLA.

Lettre XXVI

Ardenais, le 15 septembre 1984

Leïla,

C'est, des vacances, enfin la fin.

J'ai toujours voulu commencer un texte avec le mot « c'est » suivi d'une virgule. Voilà qui est fait. (Savais-tu que Rilke a appris le français pour pouvoir employer le mot « verger » dans un poème ?)

Je t'écris une matinée du mois de septembre. Je n'aime pas les après-midi, ni les mois d'août, et pour la même raison (ce sont des moments de langueur et de longueur menaçantes) ; avoir à vivre trente et un après-midi chaque mois d'août est toujours une épreuve… A la fin je me sens prête à apprendre le tir en rase campagne, rien que pour dissiper l'ennui. Mais en Berry — comme en Dordogne, je m'imagine —, les femmes s'adonnent rarement à ce genre de passe-temps. Certaines ont sans doute participé avec héroïsme à la Résistance, mais je n'en ai pas entendu parler (alors que les exploits masculins de la clandestinité restent légendaires) ; la plupart se sont contentées de prendre le relais des hommes pour le travail aux champs.

Le 12 août, nos voisins ayant ressuscité la tradition (morte depuis bien des années) d'une « fête du village», nous avons assisté à une danse folklorique en plusieurs tableaux qui racontait, avec force cornemuses à l'appui, le départ des jeunes hommes berrichons pour le service militaire. L'un des tableaux les plus appréciés était la «danse de la Sainte-Jeanne» : une bagarre chorégraphiée dans laquelle les jeunes filles se disputaient les rares mâles restants. Elles dansaient en plusieurs groupes de quatre, chaque groupe tournant autour d'un seul garçon effaré, arrachant des pans de sa chemise dans un crêpage de chignons généralisé. Tout le monde a ri.

Bien sûr, les femmes sont moins risibles que cela quand elles apprennent à faire elles-mêmes la guerre. La photo de Capa que tu m'as envoyée est émouvante, c'est vrai. J'en ai découvert une autre assez semblable, il y a quelques jours, dans un livre que m'a donné mon père. On y voit une vieille dame un peu déglinguée (jupe longue et pince-nez de travers), s'entraînant au pistolet dans son jardin. Il s'agit de la comtesse Constance de Markievicz, héroïne de la trempe d'Isabelle Eberhardt et dont l'histoire devrait te plaire.

Née dans l'aristocratie anglo-irlandaise vers la fin du siècle dernier, elle avait répudié ses origines pour épouser la cause socialiste du peuple irlandais, la cause nationaliste des républicains, la cause féministe des suffragettes…, et aussi un comte polonais ; d'où son nom. Non seulement elle a participé à la guerre de résistance livrée par les Irlandais contre les Anglais à partir de 1910, mais elle a contribué au déclenchement même de cette guerre. Ecœurée par le «lavage de cerveau» des jeunes garçons dans les boy-scouts (institution que Baden-Powell venait de fonder), elle a elle-même créé la Fianna na Ehireann, organisation militante dont le but explicite était de pousser les adolescents à prendre les armes contre les Anglais et à lutter pour l'indépendance de l'Irlande. Sans la Fianna, il n'y aurait jamais eu de rébellion républicaine en

1916, et sans cette rébellion il n'y aurait vraisembla-
blement pas eu de République irlandaise.

Constance de Markievicz méprise tous les accoutre-
ments et toutes les coquetteries propres aux femmes.
Dans un discours prononcé devant la Ligue pour le
suffrage des femmes irlandaises, elle exhorte ses audi-
trices à «se vêtir convenablement de jupes courtes et
de bottes solides, à laisser leurs bijoux à la banque et
à s'acheter des revolvers». Elle-même ne se sent à
l'aise qu'en uniforme, avec plusieurs armes à feu
accrochées à diverses parties de sa personne. Elle est
dûment nommée officier dans l'Armée des citoyens.
Après la rébellion de 1916 (écrasée dans le sang par
les Anglais), elle se rend en saluant le capitaine
ennemi avec ces mots : «Je suis prête !» (prête à passer des mois et des années en prison ; prête à poursuivre la lutte en en devenant la martyre) et, avant de
remettre à cet homme le revolver avec lequel elle
vient d'abattre bon nombre de ses compagnons, elle
plante sur le canon un baiser sonore... Plus tard, elle
sera la première femme élue au Parlement britannique ; plus tard encore le premier ministre du Travail
dans le nouveau Parlement irlandais (et, partant, la
première femme ministre de cabinet dans toute l'Europe occidentale)...

Voilà. Est-ce qu'elle te plaît ? A moi, la lecture de
sa biographie (écrite par Jacqueline Van Voris) m'a
donné le même malaise que ta passion pour Jeanne
d'Arc. (Le surnom de la comtesse était du reste la
«Jeanne d'Arc de l'Irlande».) Je ne peux m'empêcher
de trouver plus originale, et plus courageuse, l'initia-
tive prise par les femmes irlandaises il y a quelques
années pour résoudre les différends (désormais entre
catholiques et protestants plutôt qu'entre Anglais et
Irlandais) par des moyens autres que militaires. Des
deux côtés de la frontière (du coup religieuse plutôt
que géographique), elles trouvaient insupportable de
voir leurs fils, dès l'âge de dix ou douze ans, embriga-

dés dans des groupes tels que la Fianna, prendre les armes et partir au massacre. Tu as vu comme moi ces photos prises à Belfast pendant les pires moments des « troubles » (comme on les appelle là-bas) ; je ne pense pas que tu puisses t'enthousiasmer pour ce résultat d'une guerre qui semblait pourtant juste à une époque. Je trouve plus malaisé que toi de faire une distinction nette entre les bonnes guerres et les mauvaises ; je n'arrive pas à trouver séduisantes les images de gens dressés pour tuer, qu'ils soient hommes ou femmes. (Mais je lirai quand même *Les Amazones* parce que, oui, le sujet continue de m'obséder.)

Tout cela a en fait beaucoup à voir avec l'exil, parce qu'il se trouve que c'est en Irlande même que mon père m'a donné le livre sur la belle comtesse. Il m'avait demandé de venir le rejoindre à Shannon (où il faisait escale en route vers le Népal), pour que nous explorions ensemble un peu de ce pays, la terre de nos ancêtres. Tu sais que tous les Nord-Américains (à l'exception des Indiens, qu'on désigne de nos jours — par culpabilité rétrospective — sous le vocable *native Americans*) sont fascinés par leurs racines parce qu'ils n'en ont pas chez eux. Le feuilleton télévisé *Roots* a déclenché, pendant les années soixante-dix, un véritable délire de recherches généalogiques. Or les racines de mon père sont toutes en Irlande ; si je ne me trompe pas ses huit arrière-grands-parents y sont nés. (Du côté de ma mère, il y a un peu d'Écosse, un peu de France, pas mal d'Allemagne, je crois, puisque son nom de jeune fille était Kester, version anglicisée de Koester...) Huston serait une variante de Houston, nom fréquent au Donegal, dans le nord de l'Irlande du Sud. Mais notre voyage ne se voulait pas tant un retour aux sources, avec fouilles dans les archives des mairies et autres démarches réalistes, qu'un *rêve* de retour aux sources. Et comme rêve, c'était plus que réussi.

Je ne comprends pas bien ce qui s'est passé. Me croiras-tu ? Il me semblait qu'en sillonnant la côte ouest de l'Irlande, infiniment plus qu'en retournant au Canada, j'étais rentrée *chez moi*. Par quel atavisme ce paysage lunaire, rocheux, venteux et embruiné, avec ses falaises et ses tourbières, ses maisons en pierre aux toits de chaume, ses landes couvertes de trèfle et de bruyère, a-t-il pu m'apparaître comme *mien*? Le livre de photos que mon père avait acheté en guise de guide s'intitulait *Terrible Beauty*: c'était tout à fait ça. Mais pourquoi cette beauté m'aurait-elle donné, *à moi*, des frissons dans le dos? Et ce n'était pas seulement les paysages qui me touchaient, c'était aussi les personnages. TOUT LE MONDE AVAIT LES YEUX BLEUS! Je marchais dans les rues d'Ennis ou de Galway avec l'impression d'être entourée d'une gigantesque famille. Et l'on me regardait exactement comme tu m'accuses de regarder: dans les yeux, comme si le passage direct entre les yeux et le cœur ne faisait pas le moindre doute.

Le soir, on passait des heures à boire de la Guinness dans les pubs. On ne pouvait pas être assis cinq minutes sans que quelqu'un vienne nous adresser la parole. Si on allait deux soirs de suite dans le même pub, on y rencontrait de «vieux amis». Tout le monde se parlait... et tout le monde chantait. Pas un seul pub sans musique: ou bien la direction payait un pianiste pour accompagner les chansons traditionnelles, ou bien les clients apportaient eux-mêmes un violon, une cornemuse, un banjo, un tambour, des osselets ou tout simplement une voix. Si, dans un coin de la pièce, une vieille femme entonnait toute seule une triste romance, on faisait silence autour d'elle et on l'applaudissait quand elle avait fini. Pour moi, c'était comme si j'avais toujours vécu comme ça, payant mes «pintes» au bar à mesure que je les commandais, roulant cigarette sur cigarette, me laissant bercer par la chaleur des corps et l'ivresse des rythmes. Je me suis même mise à parler l'anglais avec l'accent et quelques mots de l'argot irlandais.

Est-ce là une preuve de ce que tu appelles ma sou-plesse, ma faculté d'adaptation à n'importe quelle cir-constance ? Je ne le pense pas. (Je ne pense même pas avoir cette faculté : après tout, tu ne me vois que lorsque tu es là, c'est-à-dire dans un type de situation bien particulier — réunion de femmes ou au moins d'intimes ; il m'arrive tout le temps, dans d'autres situations, de me tordre sur ma chaise, de rougir, de balbutier, de me sentir défaillir d'ennui ou trembler d'hostilité rentrée.)

Est-ce que j'avais enfin cessé de vivre entre guille-mets ? Pas vraiment non plus. Les vacances, si elles ne sont pas une citation, sont — au mieux — une paren-thèse. Je savais très bien que l'expérience que je vivais n'avait pas grand-chose à voir avec la réalité de l'Ir-lande. La côte ouest est une région extrêmement pauvre : ce qui m'apparaissait à moi comme une *terrible beauty* doit apparaître souvent aux habitants comme *terrible* tout court. Avaler de la Guinness était pour moi un geste pittoresque ; pour eux c'est souvent une sale nécessité (le taux d'alcoolisme en Irlande est très élevé ; si tous pouvaient se payer du whisky au lieu de la bière, ce serait catastrophique). A chanter des chan-sons irlandaises entendues dans mon enfance, j'ai eu les larmes aux yeux, mais il était clair que la jeunesse de Galway en avait assez de ces vieilles rengaines, leur préférant Cat Stevens ou bien le *country & western* qui prolifère comme la peste chez moi.

... Alors quoi ? Chacun envie les racines, les tradi-tions, les nostalgies de l'autre ? On ne peut vivre l'ap-partenance que sur un mode aliéné ?

Et pourtant j'avais fait, ces derniers temps, des efforts pour m'attacher à ma terre d'exil. J'avais planté, comme toi, des arbres, creusant quatorze trous avec la pelle et y introduisant quatorze pins dont treize (depuis un an) ont survécu. Au mois de juillet, pendant une dizaine de matinées fiévreuses, j'avais gratté, enduit, plâtré et repeint les murs croulants du salon berrichon, me disant qu'à la longue, à force de m'y être physiquement investie, je finirais par considérer cela comme *ma* maison, comme *mon* jardin... Et puis il a suffi que je prenne l'avion, que j'atterrisse dans une ville parfaitement inconnue, pour que je me mette aussitôt à claironner: «Enfin! c'est mon pays! ce sont mes camarades! ma langue! et ma musique!»

Jamais, depuis que je te connais, je n'avais été si loin de toi, si indifférente à mes amis et à ma vie en France.

Tu peux imaginer avec quel entrain je fais face, après ce rêve, au réveil: la rentrée parisienne.

NANCY.

P.-S. Tu me demandes des nouvelles de Léa. J'étais absente pour son deuxième anniversaire (mais ça lui est égal). Peu de temps auparavant, dans un soubresaut de mauvaise conscience — et aussi pour la préparer à la visite de mon père —, j'ai essayé une nouvelle fois de lui inculquer quelques mots d'anglais. C'est trop tard. Ou alors trop tôt. Je lui ai montré l'image de la lune dans un de ses livres en lui disant: «*O.K., look. This is the moon.*» Elle en a été scandalisée. «Non! Ah *lune*!» J'ai compris qu'elle révoquerait plus volontiers en doute la santé mentale de sa mère que l'immutabilité du lien entre les mots (français) et les choses.

Lettre XXVII

Paris, le 14 novembre 1984

Nancy,

Sur un papier sténo quelconque, après plusieurs semaines, dans mon coin favori, mais l'après-midi — je ne viens jamais à *La Coupole* à ces heures de vieilles dames à gâteaux —, je reprends le fil interrompu de notre exil épistolaire. Je me suis demandé si cette lettre serait la dernière, pensant que j'avais tout dit et que je ne ferais que répéter, mais j'aime aussi répéter... comme les enfants. Et puis j'ai pensé que c'était trop vite..., trop tôt pour couper le fil qui nous relie depuis des mois.

Je ne connaissais pas ces racines irlandaises et j'ai aimé t'imaginer dans ces pubs masculins, enfumés, chantants, avec ta grâce et ta patience, face à des hommes durs comme on en connaît peu dans nos milieux pacifiés, domestiqués, policés. Alors tu as trouvé une terre paternelle en Europe où tu as pu marcher sans usurper ? Tu es plus aventureuse, plus voyageuse que moi désespérément sédentaire. J'attends que Shérazade me pousse ailleurs, au Moyen-Orient, en Chine, aux U.S.A. Toi, tu n'attends pas qu'une héroïne de papier t'emporte. Tu as la force que je n'ai pas. Je l'aurai un jour ? J'ai l'impression que je souhaite des fils vagabonds pour qu'ils aillent loin pour moi, et dans les histoires que j'écris, des garçons et des hommes vont toujours ailleurs, là où je n'irai pas.

Je t'écris pour te parler de Rimbaud... Rimbaud m'intrigue — mais pourquoi spécialement en ce moment ? — comme m'intriguent ces héroïnes dont nous avons souvent parlé, femmes en exil, toujours fuyant leur corps, leur sexe, leur histoire. Tu te rappelles ? Ainsi voici le premier homme, Rimbaud — je l'avais oublié dans le Mouvement des femmes —, qui me séduit au point que je lis le moindre texte de lui (il n'y en a pas beaucoup) et sur lui (il y en a des quantités) ; le dernier en date, *Rimbaud en Abyssinie* que je lis en ce moment, comme les autres, m'apprend peu de chose sur ce qu'il est convenu d'appeler l'«énigme Rimbaud». Bien sûr, Rimbaud fugueur me plaît depuis l'enfance. Mais Rimbaud africain qu'on connaît si mal m'occupe jusque dans mes rêves. Je marchais cette nuit dans les déserts abyssiniens rocheux, arides, boueux et secs. Rimbaud est-il allé où meurent de famine moderne les Ethiopiens, Erythréens, Tigréens ? Les lettres de Rimbaud «aux siens», depuis Aden ou Harar, sont touchantes de platitude. Il demande toujours des traités techniques et parle d'argent comme un paysan ardennais. Il dit aussi beaucoup que le pays, le désert est dur, lourd, que les habitants sont arides. Il ne fait pas de poésie, pas de rhétorique sur le désert, des pays restés jusqu'à lui inexplorés, l'Ogaden en particulier, et ce qu'il écrit, lorsqu'il n'écrit pas des lettres à sa famille ou des lettres commerciales, ce sont des textes de géographe, d'ethnologue... Lui le dévoreur de livres, il dit à sa mère et à sa sœur qu'il devient idiot là où il ne lit même pas une ligne de journal parce qu'il n'y a pas de poste : il faut attendre les caravanes pour le courrier. Il dit aussi qu'il perd ses années à conduire des caravanes qui transportent des armes, des marchandises exotiques, musc, ivoire, plumes d'autruche, café à échanger contre des produits de l'Occident ou à vendre contre des thalers. Il dit qu'il vieillit de quatre années en une, qu'il a les cheveux gris à trente ans, qu'il ne trouvera même pas une veuve de France qui voudra de lui lorsqu'il reviendra. Il ne reviendra pas.

Il dit aussi qu'il perd sa langue maternelle, il parle les langues indigènes qu'il apprend avec une facilité ahurissante, comme son père qui a appris l'arabe en Algérie durant sa carrière militaire et qui a tenté une traduction du Coran. Il parle à plusieurs reprises de son exil en Abyssinie, exil intellectuel plus que littéraire, exil de sauvage, solitaire et austère ; Rimbaud est un ascète dans sa vie africaine, sa fuite dans les déserts, ses marches forcées presque militaires dans un pays qui l'a pris jusqu'à sa mort, pendant onze années sans retour en Europe. Il répète qu'il ne pourra plus jamais vivre en France, dans les Ardennes, le froid hivernal et maternel. Et lui qui a passé onze années d'errance mercantile et solitaire dans les déserts d'Abyssinie, ses jambes, à trente-sept ans, lui ont manqué. Nomade obstiné, obsessionnel, il disait vouloir gagner l'argent de son travail de négociant, mais il a toujours raté ses affaires d'homme d'affaires. Il s'habillait de coton blanc été comme hiver et portait, dit-on, un chapeau de quaker sur une pièce de soie blanche serrée autour de la tête pour conduire ses chameaux chargés et ses hommes noirs. Cet homme à moustaches est jeune, grand, maigre, silencieux, hâlé, blond et sec, perdu dans le sable, la boue et la roche... Il a toujours des yeux bleus, dans le Harar..., et tu sais combien les yeux clairs — pas tous, pas certains yeux bovins placides, insignifiants comme on en voit souvent dans les provinces françaises et dans le métro à Paris — me troublent. Mon père a les yeux bleus de ses ancêtres turcs, peut-être. L'une de ses sœurs a les yeux verts et son petit-fils Simao, le fils de ma sœur qui vit à la Martinique — cet enfant qui a l'âge de Ferdinand, son cousin germain, est né d'une mère croisée comme moi et d'un père martiniquais —, a des yeux verts... parce que ma sœur Danièle a répété ailleurs, encore plus loin, dans une île de la Caraïbe, l'exil amoureux de ma mère.

Rimbaud n'a pas perdu la couleur de ses yeux d'homme de l'Est, d'homme de la terre et du sable. Amnésique en Afrique. Jamais il ne parle de ses poèmes. Il a tout oublié. Il poursuit sa route aride comme un fou et c'est cette amnésie totale d'avant l'Afrique qui me plaît. Son exil me paraît, avec celui d'Isabelle Eberhardt dans le Sud algérien et celui d'Alexandra David-Neel dans les monastères solitaires du Tibet, le plus authentique, le plus absolu, le plus heureux et le plus malheureux. Je ne sais pas ce qu'ils ont cherché.

Rimbaud fugueur, rebelle, nomade, poète dès les premiers vers jusqu'aux sables du Levant où il est allé attraper sa vie et sa mort. Tu connais ce portrait célèbre de Rimbaud par Cajart, ses cheveux paille en épis broussailleux, ses yeux bleus si bleus qu'ils percent et intimident ? Je l'ai posé devant moi sur ma table, à cause de Shérazade aussi. Et je crois que je n'ai pas écrit depuis tant de semaines, parce que j'attendais la faille, l'espace de l'exil... pour cette lettre. J'écris en ce moment les *Carnets de Shérazade* et lorsque j'écris, comme toi, je suis sur ma terre, et l'exil n'est plus qu'un mot, mais comme je n'écris pas nuit et jour..., l'exil me reprend dès que je n'ai pas un stylo en main...

Je voudrais voir Léa et tu ne trouves pas de prétexte pour que je la voie, et Luce non plus pour Eva. Je suis sans petite fille. Les contemporaines de Sébastien, Mélanie en Bretagne et Timotée à la Martinique, sont loin et déjà vieilles, à bientôt treize ans...

LEÏLA.

Lettre XXVIII

Leïla,

Ça m'a fait de la peine que tu laisses passer deux mois sans m'écrire sur l'exil. Loin de sentir approcher la fin de ce sujet, je suis en plein dedans, je ne pense qu'à ça — ça m'obsède bien plus que quand nous avons commencé à nous écrire. Ne me laisse pas en plan !

… Tout ce que j'ai écrit jusque-là est faux. Il ne fallait pas m'écouter ; je mentais. Je me relis, et non seulement cette correspondance mais tout ce que j'ai écrit me paraît faux, depuis les premiers balbutiements dans *Sorcières* il y a dix ans jusqu'aux derniers panégyriques au sujet de l'Irlande. Tu dis : « Lorsque j'écris, comme toi, je suis sur ma terre. » Eh bien, la terre est en train de se dérober sous mes pieds ! Je flotte. J'ai le vertige. Depuis deux semaines, j'ai le vertige tous les jours, au point que j'ai fait venir ce matin un ramoneur pour vérifier s'il n'y avait pas une fuite de gaz dans ma cheminée. Mais non, il n'y en a pas. Le battement des tempes est dû à ce qui se passe derrière : les pensées affolées qui tambourinent pour en sortir.

Je me sens trop vieille pour avoir une crise d'identité. C'est pourtant de cela qu'il s'agit. Crise — déclenchée par quoi ? Peut-être par les visites successives de mon père et de ma mère, coup sur coup, cet automne ? Je ne vais quand même pas transformer ton écoute en celle d'une psychanalyste ? Mais à quoi bon prétendre parler de l'exil si je censure ce qui me fait éclater la tête en ce moment ? Donc, je te fais une esquisse rapide de ces visites...

Tu vois, j'ai été élevée par mon père, et je l'adore, alors que l'ambivalence qui caractérise les sentiments de la plupart des filles envers leur mère a été décuplée dans mon cas par le fait qu'elle est partie quand j'étais encore petite. Et soudain, ils débarquent l'un et l'autre dans ma vie à Paris, dans des circonstances tellement semblables que leurs différences de caractère en ont été accusées. D'abord la symétrie : mon père est venu avec un collègue plus jeune que lui, ils sont restés dans mon studio, je les ai accompagnés dans une visite du Marais, chez M. on a donné une soirée anglophone en leur honneur et ils sont repartis en nous laissant des cadeaux. Deux semaines plus tard, ma mère est arrivée avec une collègue plus jeune qu'elle, elles sont restées dans mon studio, je les ai accompagnées dans une visite du Marais, chez M. on a donné une soirée anglophone en leur honneur et elles sont reparties en nous laissant des cadeaux.

Maintenant l'asymétrie : mon père voyageait avec un sac à dos qui pesait une tonne, il avait un billet pour faire pendant quatre mois le tour du monde, avec des escales en Irlande, à Paris et en Inde, mais le vrai but de son voyage c'était le Népal, l'Himalaya, c'était de rencontrer des adeptes du bouddhisme comme lui, c'était en somme une quête spirituelle, une aspiration aux sommets dans tous les sens du terme. Ma mère, quant à elle, voyageait avec une mince valise en cuir, elle faisait escale à Paris mais le vrai but de son voyage (dont le billet était payé par l'hôpital où elle travaille), c'était Rome, où elle devait participer à une rencontre internationale de psychologues, spécialistes comme elle de gérontologie.

Alors quoi ? Tout cela n'a rien de bien méchant. Pourquoi ces deux passages éclair parentaux m'auraient-ils donné le vertige ? En une phrase : alors que je me *sens* depuis toujours plus proche de mon père, je viens de m'apercevoir que je *suis* plus proche de ma mère. Que «la mère» que j'ai rejetée avec mon pays et ma langue maternels est en fait un mirage. Que ma mère réelle, comme moi, raffole de nourritures exotiques et piquantes, rêve de pays chauds et ensoleillés. Figure-toi que je l'ai amenée, un samedi matin, dans ce pays étranger à l'intérieur du pays étranger : le hammām de la mosquée. Nous avons passé trois heures à nous masser et à nous savonner l'une l'autre, les corps (nus ensemble pour la première fois depuis vingt-cinq ans) abandonnés voluptueusement à la vapeur. Et j'ai vu que l'intensité sensuelle que j'ai recherchée en Europe, je l'ai héritée, tout bêtement, de ma propre mère.

A partir de cette découverte, tout s'est enchaîné pour me conduire au *spleen* actuel. Je t'avais parlé dans une lettre de ma «venue à l'écriture» qui a coïncidé, d'une part, avec les débuts de ma vie en France et, d'autre part, avec les débuts du Mouvement des femmes. Mais le féminisme ne représentait-il pas aussi, pour beaucoup d'entre nous, une manière de critiquer nos mères ? De leur signifier que jamais, au grand jamais, on n'allait mener la vie qu'elles avaient menée, elles ?... Alors je relis ces jours-ci mes premiers textes, ces alignements de syllabes aux sonorités pour moi nouvelles, ce tissage d'une passerelle au-dessus du vide que j'ai fait dans l'incrédulité joyeuse — «J'écris !» comme on peut se dire en rêve : «Je vole !» — et je les trouve affligeants. *Affligeants*. Ce qui faisait tenir la passerelle, c'était l'idéologie féministe : le sentiment que j'étais entourée d'autres femmes qui pensaient comme moi et que nous œuvrions ensemble à la construction d'un édifice inouï, magnifique. Maintenant je me retourne et je m'aperçois que je suis toute seule, suspendue au-dessus du vide ; que la passerelle est de mauvaise qualité ; qu'elle ne se rattache à rien et ne va nulle part. Alors c'est la chute ? Mais *où* chuter ?

Bon, du calme, me dirais-tu si tu étais mon analyste. Tout le monde a droit à des erreurs de jeunesse. C'est tout ce qu'il y a de plus banal, qu'un écrivain répudie ses premières tentatives littéraires ou qu'il en ait honte et préfère ne pas y penser.

Mais moi, ce que je me demande, répondrais-je à l'analyste d'une voix si aiguë et impatiente qu'elle y devinerait l'imminence des larmes, c'est si, en renonçant une fois pour toutes à mon héritage maternel, *je n'ai pas renoncé à l'essentiel*. N'aurais-je pas choisi d'écrire en français précisément parce que le français me permettait d'écrire sans risques, sans vérité, sans rigueur, sans aller jusqu'au bout ? En acceptant une difficulté formelle apparente, celle de l'idiome étranger, n'aurais-je pas en fait opté pour une facilité du contenu ? Même si mes écrits récents me font moins rougir que ceux du début, j'y entends, omniprésentes, des fausses notes — ou plutôt une note de fausseté généralisée. Paradoxalement, il n'y a qu'à toi, et donc en français, que je puisse décrire cela dans le détail. Si j'allais vraiment jusqu'au bout de cette pensée-là, je te deviendrais incompréhensible.

Tu sais, il y a une chose que j'ai tue depuis le début de cette correspondance, une chose évidemment cruciale et qui en dit long sur mon choix de l'exil : dans un cauchemar récurrent, je perds mon français. Peu à peu je commence à faire des fautes de grammaire. Mon vocabulaire s'amenuise. Mon accent devient épais à couper au couteau. Mon «vrai moi» transparaît de plus en plus à travers le masque du «moi» français. Et l'on me condamne à retourner en Alberta. Il s'agit d'une condamnation. Rentrez chez vous, vous n'avez rien à faire ici, vous ne parlez même pas la langue. Toutes ces années n'ont été qu'une immense duperie. Maintenant c'est terminé. On vous a découverte. Retournez à Calgary et n'en repartez plus jamais. Assumez votre destinée. Renoncez à vos ambitions grotesques. Soyez la petite prof de secondaire que vous auriez dû devenir... J'ai honte de ce rêve parce qu'il trahit ma honte de mes origines ; et quel mépris à l'égard de mes parents, de mes concitoyens, tout un milieu, tout un monde...

M., qui a dix ans d'avance sur moi dans l'expérience de l'exil, m'explique avec bienveillance (pour ne pas dire avec paternalisme) que je traverse une « phase ». Selon lui, pendant les premières années de vie à l'étranger, on se déleste allégrement de son passé, on est sans poids, euphorique, capable de tout ; on assimile avec une rapidité grisante la culture, la langue, l'histoire et les péripéties politiques de son nouveau pays. On est étonné — et fier — de l'aisance avec laquelle on arrive à absorber une telle quantité d'informations. Ensuite — en général peu de temps après la naturalisation, c'est-à-dire après que l'exil a pris une forme moins poétique, plus concrète, lourde et institutionnelle —, il y a un retour en force du refoulé (ce serait ma « phase » actuelle). On se souvient soudain de tout ce qu'on a abandonné, du caractère irrévocable de la perte et de l'appauvrissement inévitable qu'elle entraîne. Le pays d'adoption, d'un paradis apprivoisé, se transforme subitement en prison. On n'en voit plus que les défauts. Ses citoyens vous semblent des caricatures d'êtres humains, dont les seuls modèles authentiques se trouvent dans votre pays natal... Toujours selon M., cette deuxième phase cède le pas à son tour à une troisième, à laquelle il donne le nom de « désespoir serein ». Cela consiste à savoir qu'on ne sera jamais parfaitement assimilé à son pays d'adoption et jamais non plus dans un rapport d'harmonieuse évidence avec son pays d'origine.

Ce savoir fait désormais partie de votre être même; vous l'acceptez avec lucidité, en philosophe.

Pour ce qui me concerne, n'ayant pas encore atteint le troisième stade, j'en comprends mieux pour l'instant le désespoir que la sérénité. Comme j'aspire à l'amnésie de Rimbaud! Si seulement je pouvais *oublier* l'un de mes deux passés!... J'avais parlé dans une lettre déjà ancienne de mon «analphabétisme», du fait que ni mon français ni mon anglais ne coulent de source. Mais c'est pareil pour tout le reste, et l'exil veut dire cela: toute notre vie, où que nous allions sur la surface de la planète, serait-ce l'endroit où nous sommes nées, on nous demandera des comptes sur notre ailleurs en nous posant la question: «D'où venez-vous?»

Souvent, lors de rencontres éphémères, j'ai la tentation de répondre à cette question en m'inventant une vie tranquille, pépère, végétative; un passé homogène et monotone, une profession comme celles de tout le monde. Mais dans la conversation, contrairement à ce qui se passe dans l'écrit, je suis incapable de mentir. Je dis toujours la vérité, ce qui nécessite ensuite des explications compliquées, embarrassantes.

Logiquement, si je voulais éviter l'inconfort de ces situations, je devrais m'installer quelque part et n'en plus bouger. Pourquoi alors est-ce que je suis toujours en transit, toujours en partance pour un pays étranger quelconque? Ce n'est pas, comme tu as l'air de le dire, parce que je suis souple et aventureuse. C'est un besoin. Le Voyage, par tous les moyens de transport possibles, forme la trame centrale de mes rêves heureux et malheureux depuis l'enfance..., y compris de celui dont j'ai parlé à l'instant. Pour quelle raison? (C'est la dernière question «psy» que je t'attribue.) Voici: à l'âge de six ans, je dis au revoir à ma mère à Edmonton, je prends le train pendant trois jours, ensuite le bateau pendant sept jours, ensuite le train à nouveau; j'arrive en Allemagne. Quatre mois plus tard, je refais le même trajet en sens inverse, j'arrive à Edmonton et ma mère a disparu. Evidemment, dans la réalité, on m'avait prévenue du divorce, mais peu importe : le reste de ma vie, surtout la nuit, j'essaierai de refaire ce voyage de la bonne manière, en prenant les bonnes correspondances, de manière à ce qu'il aboutisse à la bonne résolution... Comprendre cela, tout récemment, n'a fait qu'accroître ma détresse.

Or les effets de cette détresse, dont je vois bien le côté dérisoire (petit-bourgeois-individualiste-nombriliste ; «Ce qu'il lui faudrait à cette nana, c'est une bonne guerre»), sont assez débilitants. Cette lettre à toi est la seule chose que j'aie été capable d'écrire depuis un mois. Pour la première fois, je fuis mon studio, je cherche des prétextes pour ne pas me retrouver seule, je me réfugie à la bibliothèque ou je m'accroche au téléphone. Je parviens même à narguer mon surmoi et à aller au cinéma en plein milieu de la journée — mais même là, je ne suis pas tranquille : je m'aperçois que mon obsession de lire les sous-titres des films américains (comme, à New York, je lis les sous-titres des films français), loin de refléter une passion pour les subtilités de la traduction, est en fait une ruse que j'utilise pour *ne pas voir le film*, ne pas éprouver les émotions qu'il pourrait m'inspirer. Me protéger, encore une fois, de l'essentiel.

Et puis, j'ai un rapport de plus en plus pathologique à ma boîte aux lettres. En arrivant le matin j'essaie de deviner, à son aspect, si oui ou non elle contient du courrier. Je fais semblant d'être distraite et d'y glisser la main comme par automatisme, indifférente au résultat de ses tâtonnements. Si jamais il n'y a rien — rien ce matin ? hier non plus ? *deux jours de suite ?* les facteurs doivent être en grève, ma concierge doit être malade, Chirac a dû déclarer un nouveau jour férié —, je le prends très mal. Mais en fait, même quand il y a du courrier, je suis déçue. Oui : même quand ce sont de «vraies» lettres, des lettres d'amis, de famille, de lecteurs, tout ce qu'il faudrait, raisonnablement, pour

me remonter le moral... Alors qu'est-ce que j'attends ?
Quel est le pli magique qui doit échouer dans ma
boîte, venu de quel lieu distant pour me rassurer de
quelle proximité, de quel non-oubli, de quelle continuité, de quelle confiance ?

Je ne le sais pas. Et, devant l'inexistence probable
de ce pli, je suis pour le moment paralysée. Peureuse.
Et écœurée de constater que même pour parler de
cela, je ne résiste pas, depuis sept pages, à l'allitération et aux adjectifs emphatiques...

NANCY.

Lettre XXIX

Paris, le 11 décembre 1984

Nancy,

Tu dis dans ta dernière lettre que jusqu'ici, c'est-à-
dire depuis un an et demi, tu n'as pas parlé d'exil, que
tout ce que tu as écrit est mensonger (nous en parle-
rons, si tu le veux bien, en tête à tête)... Et moi, il me
semble que je suis en train de perdre mon territoire,
ma terre, l'exil... Que ferais-je hors exil, désertant ce
qui me fonde depuis le premier jour de ma vie ? Heureusement, grâce à un voyage à Marseille, j'ai la cer-
titude — parce qu'il était question là-bas, ce soir-là,
de cultures croisées — que je n'échapperai pas à la
division biologique d'où je suis née. Rien, je le sais, ne
préviendra jamais, n'abolira la rupture première,
essentielle : mon père arabe, ma mère française ; mon
père musulman, ma mère chrétienne ; mon père cita-
din d'une ville maritime, ma mère terrienne de l'intérieur de la France... Je me tiens au croisement, en
déséquilibre constant, par peur de la folie et du renie-
ment si je suis de ce côté-ci ou de ce côté-là. Alors je
suis au bord de chacun de ces bords...

Je craignais, à trop analyser, disséquer cette position,
de l'avoir épuisée, et depuis quelque temps je m'aperçois que je recherche chez d'autres, toujours plus loin,

non pas de l'exotisme, mais chaque fois davantage d'exil, comme si cela pouvait se quantifier... Je me mets à fliquer mon exil, celui des autres, à me parasiter et les autres en même temps. J'ai tellement peur que l'inspiration, je veux dire une certaine émotion qui m'est nécessaire pour écrire, me quitte avec l'exil, que je me raccroche au moindre signe. Par exemple, je lis la page «Faits divers» dans *Libé* et je pense aussitôt : j'aurais mis *exil* en rubrique, au lieu de *ménage*... Je te raconte brièvement : Héléna, Polonaise privilégiée en Pologne (elle fait partie de la *nomenklatura*), choisit de passer à l'Ouest. Elle vient vivre en France après avoir quitté son mari polonais. Seule, sans famille, ni amis, ni maison, ni enfants, ni langue maternelle praticable à Paris (elle évite les Polonais), elle fait des ménages pour gagner sa vie. Elle rencontre un ouvrier tunisien dans un café de la Bastille. Elle vit avec lui pendant quatre années. Un jour, il part en Tunisie seul et revient à Paris marié à une jeune Tunisienne, Rabiah. Au bout de quelques mois, le mari Chedli fuit le domicile conjugal deux ou trois nuits par semaine pour retrouver Héléna qui est devenue l'amie de Rabiah. Peut-être Héléna et Rabiah auraient-elles vécu heureuses dans un patio africain en coépouses... A Paris, tout se passe mal. Rabiah va voir Héléna. Elles se disputent, s'insultent — dans la langue du pays d'accueil, je suppose —, se battent. Héléna a trente-cinq ans, Rabiah dix-sept ; l'une est forte, l'autre frêle. Héléna tue Rabiah. Héléna est seule : personne à qui se confier, parler, raconter, personne à prévenir. Qui pourrait être complice ? Une seule solution, faire disparaître Rabiah qui est peut-être clandestine en France... Est-elle vraiment mariée à Chedli ? Quel est le statut de cet homme en France ? S'il la recherche, ce sera sans le concours de la police. Héléna, avec un petit couteau de cuisine, découpe méthodiquement le corps de Rabiah en commençant par la tête et disperse les morceaux, comme dans les tragédies grecques meurtrières, mais dans les poubelles parisiennes et non sur la terre méditerranéenne d'où vient Rabiah. De Rabiah, on retrouvera «le tronc d'une femme jeune à la peau mate, aux poils bruns et aux pointes de seins rentrées»..., le buste de n'importe quelle femme du Midi ou des pays latins. Une histoire édifiante... Au bout de l'exil, la mort, la poubelle, la prison, et entre la vie et la mort, la folie : crise de nerfs de Rabiah chez Héléna, assassinat de Rabiah par Héléna et le dépeçage pour qu'il ne reste rien du corps de la jeune Tunisienne, pour qu'elle ne soit pas identifiable : elle n'est plus une personne ni un être humain, elle est des morceaux de corps féminin, sans sépulture, une ordure.

Voilà le premier exemple de ces signes, le plus macabre... Les autres sont trop doux, en comparaison.

Je t'ai déjà parlé de cette fille allemande que j'avais rencontrée dans une brasserie des Halles une nuit d'hiver : des cheveux fins et blonds, des yeux bleu marine un peu lourds, une bouche pâle et charnue ; lorsqu'elle riait on voyait des dents mal soignées, un peu pourries. Je t'avais dit sa mobilité, son agilité dans des pays lointains et des langues étrangères. Il y a quelques jours, de passage à Paris, Meike me téléphone. Je ne la connais pas, je suis allée une fois à une fête dans un pavillon de banlieue qu'elle partageait avec un ami-amant et je m'en étais voulu d'avoir été si sinistre toute la soirée... Je ne trouvais rien à dire ; ses amis m'ennuyaient ; ils étaient tous d'ex-babas cool, ex-junkies reconvertis dans un travail social triste et ils en parlaient tristement. Ils m'apparaissaient comme les derniers décadents de l'Occident, sans le panache, ni le charme, ni les excès séduisants de la décadence des riches, raffinés et pervers. Ils vivaient dans la misère végétarienne des végétariens attentifs à leur estomac, leur ventre, leur déglutition, leur digestion... comme des vieillards malades ; c'était lamentable. Ils étaient laids et délabrés. Avec eux, ce soir-là, je me suis sentie une petite fille ou une vieillarde. Je n'ai pas parlé. Meike portait une robe blanche en lainage, collée au corps. Elle s'occupait du service des légumes et des alcools. Je l'ai à peine entendue. J'ai compris qu'ils se connaissaient tous depuis longtemps, que les couples s'étaient échangés au cours des années et que moi, je n'avais rien à faire là au milieu de leurs conversations privées. J'ai failli partir. Je suis restée, figée dans mon intolérance. Une année plus tard, donc, Meike m'appelle pour me dire bonjour et me raconter ses départs, ses exils, ses aller et retour. J'apprends ainsi qu'elle vit au Colorado dans une petite ville et qu'elle a travaillé plusieurs mois dans un hôtel à la réception, puis dans une boîte disco où elle tenait le bar. On l'avait embauchée à cause de son accent français en anglais. Pour les Américains du Colorado, c'était comme si elle était française, et le patron avait aimé cet exotisme. Par ailleurs, elle avait trouvé un travail de jour dans un collège où elle enseignait la langue française, mais pas la langue allemande à cause de son accent français en allemand (elle a vécu quelques années en France)... Elle dit qu'elle n'a jamais aimé l'allemand, sa langue maternelle, et qu'elle parle un allemand qui suit la syntaxe française. Sa mère est horrifiée chaque fois qu'elle va la voir en Allemagne. Elle dit aussi qu'en anglais elle parle comme une Américaine. Je l'ai étonnée en lui disant qu'en français elle a l'accent d'une Canadienne anglaise... J'ai d'abord cru que c'était toi qui me téléphonais et D. m'a dit : « C'est Nancy », sans hésitation... Après le Colorado, Meike ira au Mexique, en Argentine, en Alaska. Elle pense terminer ses pérégrinations en Afrique. Elle ne m'a jamais dit ce qu'elle cherche. Flora Tristan, elle, cherchait la classe ouvrière et elle-même dans ses voyages au Pérou, puisque son père était un aristocrate péruvien. A Londres et en France, elle s'est lancée désespérément à la poursuite d'ouvriers révolutionnaires avec une foi christique qui l'a rendue malade. Elle est morte à quarante ou quarante et un ans dans des conditions misérables, seule dans sa quête missionnaire. Peut-être était-elle assistée d'Eléonore, la jeune blanchisseuse révolutionnaire, sa disciple unique, qu'elle a adoptée comme sa fille, se sentant plus proche d'une exclue sociale que de sa fille naturelle. Aujourd'hui, depuis Yvette Roudy et le septennat Mitterrand, Flora Tristan figure sur des timbres français, émis le jour du 8 mars 1984...

Et moi qui ne voyage pas (c'est avec Shérazade que j'irai en Palestine)...

Je voulais te dire en commençant la lettre ma surprise en ouvrant une lettre qui m'a été transmise par *Sans frontière*, le journal de l'immigration auquel je collabore depuis qu'*Histoires d'elles* n'existe plus — je me rappelle Amar m'enlevant aux femmes; j'ouvre l'enveloppe et je vois des cartes postales de femmes bretonnes en habit de Bretagne, des vieilles et des moins vieilles, occupées à des travaux régionaux. J'ai pensé que c'était quelqu'un qui voulait me railler pour ma passion de collectionneuse de cartes postales de femmes costumées en provinciales à l'ancienne... Tu te rappelles, à *Histoires d'elles*, j'ai toujours réclamé après les voyages de chacune ces cartes qu'on ne trouve presque plus : Martine Delétang m'en a rapporté d'Espagne, tu m'en as envoyé, Dominique Pujebet aussi et Luce, et Dominique Doan, Dani, Hélène, Rosi d'Australie, Ruth d'Israël... C'était chaque fois des femmes, ou des enfants, ou des paysages d'ici et d'ailleurs, signes dérisoires et bienveillants que j'ai toujours reçus comme tels, parce que je ne suis pas une vraie collectionneuse. Je fais semblant. Une manière de croire que je suis d'une terre qui a une histoire millénaire, ces femmes déguisées en costumes régionaux, désuets et touchants. Pour *Histoires d'elles* j'étais allée à Longwy en 1979, au moment des manifestations des sidérurgistes, et j'avais assisté à des fêtes, kermesses de patronage de gauche, avec femmes et enfants déguisés. C'est là, je crois, que j'ai senti la nécessité d'écrire, de mettre sur la scène publique des femmes et des filles de l'immigration, du Maghreb en France. J'avais été bouleversée par des petites filles qui dansaient, habillées en Lorraines, sur une musique régionale, et ces petites filles étaient arabes. Les mères avaient cousu les costumes avec des mères françaises, des Lorraines qui avaient pu copier les modèles sur les costumes de famille qu'on gardait de mère en fille. Dans le train vers Paris, j'ai pensé à toutes les Alsaciennes, Lorraines, Flamandes, Limousines, Toulousaines, Bourguignonnes, Berrichonnes... qui apprenaient les pas des bourrées provinciales et qui faisaient coudre à leurs mères des habits de la vieille France pour danser en costume, comme à la télé..., et elles étaient arabes, ou kabyles, ou berbères de la côte africaine, heureuses comme des petites filles à la fête, sur une scène, honorées et applaudies. C'est après Longwy que j'ai écrit *Fatima*... Alors ces Bretonnes, d'où venaient-elles, de qui ? J'ai des amis en Bretagne qui ne m'ont jamais envoyé de ces cartes... C'est un garçon breton que tu connais depuis les années *Histoires d'elles* et qui t'écrit toujours. Depuis le 6 décembre 1984, il m'écrit aussi, après avoir écrit pour d'autres raisons à Carmen Castillo. Il écrit donc à des femmes de l'exil... Il dit dans sa lettre qu'il aime les déracinés, les exclus, qu'il en connaît à travers toute la France; il dit qu'il aime apprendre des langues, je ne sais pas s'il parle le breton, il aime à la folie l'Amérique latine mais je ne sais pas pourquoi, peut-être parce que les pays sont si métissés ? C'est étrange. Je te parle de Yannick que tu dois bien connaître par lettres comme si à travers cette lettre-ci je lui répondais... J'entretiens une correspondance avec un garçon que je ne connais pas et qui ressemble un peu à Yannick, mais seulement depuis quelques mois, depuis *Le Chinois vert d'Afrique*. L'un et l'autre vivent un exil plus tragique que le nôtre, parce que en réalité ils ont, là où ils vivent, une terre et une langue, mais ils sont à côté désespérément, sans pouvoir dire, parce que ce serait faux, qu'ils sont sans terre et sans parole, privés de la langue maternelle. Nous pouvons, nous, au moins prétendre qu'une part de notre réalité réelle est ailleurs et que ce soit vrai. Eux, non.

J'avais fait le détour par les cartes de province et les fêtes folkloriques de France dansées par des petites filles arabes pour te parler de ma *francité*... et une fois de plus...

Tu pars pour un tour familial aux U.S.A. et au Canada avec Léa. Tu pars souvent. Tu seras là-bas l'hiver avec ta fille, je serai à Paris seule sans enfants, pour Shérazade.

Léa aura grandi. Peut-être dira-t-elle des mots que je ne comprendrai pas ?

Je t'embrasse.

LEÏLA.

Lettre XXX

Paris, le 7 janvier 1985

Chère Leïla,

Il neige à Paris, il neige, il neige pour de vrai, jamais je n'ai vu cela... Je me faufile dans les rues aux bruits assourdis en évitant d'entendre les commentaires acerbes des Parisiens, ils disent que c'est moche, que c'est sale, qu'il fait un temps de chien, alors que les flocons blancs continuent de tomber et de transfigurer la ville en enchantement, pourquoi refusent-ils de la voir, la neige, *avant* qu'elle ne devienne de la gadoue, pourquoi se plaignent-ils toujours, quel que soit le temps qu'il fait, même les jours les plus limpides de l'année si je suggère à ma vieille voisine qu'il fait beau elle me répondra : «On va le payer», alors je ne veux pas écouter ce que disent les Parisiens, je veux que cette neige accomplisse pour moi l'acte de magie, qu'elle fasse le lien entre le mois dernier et ce mois-ci, entre le Canada et la France, entre mon passé et mon présent, entre ma vie anglophone et ma vie francophone — que tout cela soit recouvert, l'espace d'un rêve, d'une même blancheur silencieuse.

Ce serait facile de me moquer du désarroi des Parisiens devant la neige : leurs pannes d'électricité, leur refus de mettre le nez dehors, les ridicules petits balais avec lesquels ils s'acharnent sur le trottoir devant leur porte — alors qu'à Montréal, où j'étais pendant une tempête fabuleuse le Jour de l'An, les «déblayeurs» se mettent à sillonner la ville dès les premiers flocons, répandant sel et sable pour rendre les rues praticables, entassant le long des trottoirs d'immenses monceaux de neige dans lesquels pataugent joyeusement les piétons..., et à l'entrée de chaque maison attendent comme des sentinelles, au garde-à-vous et toujours prêtes, plusieurs pelles différentes : une pour la poudreuse, une autre pour la glace, une autre encore pour la gadoue (à laquelle les Québécois donnent le nom évocateur de *slutch*). Les pelles font tellement partie de la vie quotidienne au Canada que les féministes québécoises, pour souligner la sous-participation des hommes aux tâches ménagères, disent qu'ils se contentent de vaquer aux «trois P» : pelouse, poubelle, pelletage !

Mais je suis mal placée pour me moquer des Français puisque ma propre fille en est : et au début de notre séjour au Canada elle a été plus que déconcertée, affolée par cette substance inouïe, imprévisible, tantôt moelleuse et tantôt dure, sur laquelle elle perdait pied (et perdait la face aussi) à chaque instant... Au bout d'une semaine, cependant, elle roucoulait de plaisir dans la luge qui glissait sur les pentes glacées des Laurentides...

Je suis allée voir un film qui a un succès fou au Québec cet hiver : *La Guerre des tuques*. (Les tuques, ce sont ces bonnets de laine multicolore que portent, la moitié de l'année, tous les écoliers canadiens.) L'action du film se déroule dans un petit village francophone dans l'est du Québec ; à cette différence géographique près, c'est l'histoire de mon enfance : batailles de boules de neige, forteresses de neige, cachettes de neige, amourettes de neige, déplacements ralentis ou au contraire accélérés par la neige..., la neige comme mode de vie. «Mon pays, c'est la neige», dit une chanson québécoise, et ce n'est pas uniquement une complainte : quand il neige au Canada, on se réjouit d'abord — *on voit que c'est beau* ; ensuite seulement on pense aux ennuis...

Sans doute que toi, là-bas, tu aurais été misérable. Mais moi, je repense à combien j'étais misérable dans le Jura l'an dernier et ça me laisse perplexe. C'est comme si je ne pouvais accepter le bonheur de la neige que dans les conditions originelles dans lesquelles je l'ai vécu. Sinon, c'est un *ersatz*, une imitation déprimante. Un peu comme si on te flanquait un désert au beau milieu de la Dordogne ? En somme, nous avons besoin d'un pays *et* de l'autre ; de la différence entre les deux ; le mélange ne nous intéresse pas, il nous effraie. Danger de réunification, comme tu disais il y a déjà longtemps.

Ce que j'en conclus va peut-être te surprendre, venant si peu de temps après ma crise de l'automne dernier. Mais je suis dans le dénouement de la crise et dans le dénouement de l'exil. Toutes les données restent identiques, mais soudain — à la faveur de la neige ? — il me semble que la *donne* est différente. Et je te suis reconnaissante, parce que sans toi je n'aurais peut-être jamais traversé cette crise. Etant donné que, depuis mon arrivée à Paris, les questions qu'on me posait le plus souvent portaient précisément sur mon statut d'étrangère (« Depuis quand vis-tu ici ? Est-ce que tu retournes souvent là-bas ? Dans quelle langue écris-tu ? », etc.), j'avais trouvé des réponses simples, succinctes et « satisfaisantes » à ces questions. Je répétais toujours la même chose, sans réfléchir ; je me considérais comme heureuse dans mon choix de vie et je n'avais pas envie qu'on touche à ce bonheur. Je refusais de voir que ce n'est quand même *pas rien* de faire une croix, sans raison apparente, sur ses origines, sa langue et sa famille. Or cette correspondance avec toi m'a aidée à fracasser cette belle structure de défense. Et c'est seulement maintenant, presque deux ans après notre décision de travailler ensemble sur l'exil, que je commence à entr'apercevoir le sens du mot. Sans doute l'avais-tu compris avant moi : l'« exil » n'est que *le fantasme qui nous permet de fonctionner*, et notamment d'écrire.

D'une part, comme tu le dis dans ta dernière lettre, il y a des êtres qui se sentent, comme nous, à l'écart, scindés, divisés contre eux-mêmes, et qui n'ont même pas le prétexte de l'« étrangéïté » pour expliquer leur mal de vivre. Yannick le Breton en est un exemple parmi mille autres : vivant tantôt à l'intérieur et tantôt à l'extérieur d'hôpitaux psychiatriques, mais toujours avec difficulté, oscillant entre l'acceptation et le refus de son corps, de son sexe, voire de sa venue au monde… L'amitié qui s'est nouée entre nous à travers des lettres jalonnant les six dernières années me reste mystérieuse et précieuse. Yannick me demande régulièrement des nouvelles des femmes d'*Histoires d'elles*… Tu te souviens que dans ses premières lettres envoyées au journal il écrivait un paragraphe en allemand pour Barbara, un paragraphe en espagnol pour Carmen, un paragraphe en portugais pour Simone et un paragraphe en anglais pour moi. Il parle couramment au moins cinq langues, je ne sais pas s'il connaît le breton en plus, en tout cas il est installé dans un exil douloureux, dans la province même où il est né.

D'autre part, il y a des êtres qui sont situés comme nous au croisement des cultures et qui réagissent à cette situation avec naturel ou même avec indifférence ; cela ne les pousse pas le moins du monde à transformer leur exil objectif en exil subjectif, source pour nous d'énergie et d'émotion. Pourquoi ta sœur à la Martinique, encore plus éloignée que toi de l'Algérie natale, n'écrit-elle pas ? Et mon frère, qui a vécu la moitié de sa vie dans la langue française au Québec, pourquoi vit-il ce partage linguistique dans la tranquillité et non, comme moi, dans le déchirement ?

Notre exil est un fantasme. Un fantôme. C'est-à-dire : un mort qu'on a eu besoin de ressusciter afin de l'interroger, l'ausculter... Notre correspondance ne serait-elle pas, en quelque sorte, l'autopsie de ce cadavre ?

Parce que très certainement nous avons *toujours* connu ce sentiment auquel nous avons donné le nom d'exil. Le sentiment d'être dedans/dehors, d'appartenir sans appartenir. Est-ce vrai pour toi ? Pendant ces dernières vacances je me suis aperçue que j'avais toujours eu cet automatisme qu'est la distanciation, ce réflexe qui consiste à «cadrer» les événements, à m'étonner devant eux, à exagérer un tant soit peu mes réactions à leur égard, à me raconter ma vie comme une histoire.

Le jour de Noël, lors d'une réunion de famille houleuse dans le New Hampshire, j'ai posé deux questions à mon père, et sa manière de répondre m'a beaucoup donné à réfléchir. D'abord, comme il venait d'achever son tour du monde, je lui ai demandé s'il ne se sentait pas désorienté de se retrouver dans sa propre maison, après être passé par l'Irlande, la France, l'Inde, le Népal, le Tibet, la Thaïlande... Il m'a répondu : «Pas du tout. Je considère que là-bas c'était là-bas, et qu'ici c'est ici ; je trouve les deux également naturels.» Le soir, quand nous étions tous rassemblés dans la salle à manger, je lui ai demandé s'il n'était pas bouleversé de regarder cette foule — quinze personnes en tout, avec les gendres et les petits-enfants — et de se dire que lui-même en était la source (il était le seul parent commun des six enfants adultes assis autour de la table); là encore, il m'a répondu : «Pas du tout, je n'y pense pas, je considère simplement que j'ai beaucoup de chance de connaître tous ces gens intéressants.»

Et il a fallu que je me rende à l'évidence : que tout le monde ne cherche pas, comme moi, à déranger les évidences. Je ne *subis* pas l'écart, je le *cherche*. Constamment. Je cherche la mise en scène, la mise entre guillemets, le : «Est-ce que tu te rends compte... ?» En

Irlande, j'avais posé une autre question à mon père, sur le vieillissement, et le malentendu a été si complet que j'ai dû lui demander pardon. Il pensait que je le percevais soudain comme vieux, mais ce n'était pas cela... Pour lui, le passage du temps allait apparemment de soi, alors que c'est une chose qui chaque jour me sidère. Je ne m'y habitue pas et ne m'y habituerai jamais ; j'agace tout le monde avec mes interrogations : « Est-ce que tu te rends compte que quand j'avais ton âge..., que quand j'aurai ton âge..., que ça fait déjà quinze ans depuis le jour où..., que ça fera exactement six ans le mois prochain..., que ça va faire le tiers, la moitié de ma vie... ? » Je ne cesse d'être éberluée par les vitesses différentes auxquelles s'écoule le temps : par ce qui change trop vite et ce qui ne change pas, par l'arrivée d'une nouvelle génération, par le fait de ne plus, moi, faire partie de « la jeunesse », par le blanchissement de nos cheveux à nous tous...

Dernière anecdote familiale : à la fin de l'ouverture des cadeaux (rituel qui avait duré plus de quatre heures), mon père a présenté à ma belle-mère le Cadeau de la soirée : une bague pour commémorer le vingt-cinquième anniversaire de leur mariage. Elle était très émue, les autres enfants adultes aussi, mais moi, tout en étant émue, je n'ai cessé de regarder autour du cercle, de nous compter et de nous recompter, émerveillée : « On est tous là... » A un moment donné, j'ai « cadré » sur les quatre garçons, alignés devant la cheminée, le plus jeune hissé sur les briques du foyer de manière à paraître de la même taille que l'aîné, les deux du milieu étant plus grands que celui-ci d'une bonne tête, et je me suis souvenue pour la énième fois comment, à l'âge de sept ans, j'avais tenu sur mes genoux, couché de tout son long, le nourrisson minuscule qui est maintenant un géant... J'ai étudié les quatre profils, j'ai comparé la ligne des fronts, des nez, des mentons, me perdant dans la contemplation de cette sculpture de chair fraternelle... Les quatre frères

211

étaient préoccupés par des choses semblables (la cérémonie de la bague) et différentes (chacun ses problèmes), mais je suis sûre d'avoir été la seule préoccupée par cette situation de la Famille, la bonne santé et la bonne entente de tous ses membres... Et, tout en me sentant partie prenante de cette famille, je me suis sentie seule.

N'est-ce pas cette distanciation même qui constitue la littérature ? Notre écriture ne vient-elle pas de ce désir de rendre étranges et étrangers le familier et le familial, plutôt que du fait de vivre, banalement, à l'étranger ?

Vivre en France, pour moi, c'était choisir d'« étrangéïser » toutes mes habitudes : ma vie sociale, ma vie intime, et même, plus tard, ma relation à ma propre fille ; c'était faire de toutes ces choses une source d'étonnement perpétuellement renouvelée (« Penser que moi, née à l'ombre des Rocheuses, j'ai accouché à l'ombre de la tour Eiffel », etc.) ; c'était ne jamais pouvoir me servir des clichés du discours féministe, amoureux, maternel, sans les répertorier aussitôt comme tels, puisque c'étaient des clichés appris et non pas spontanés. Ecrire en français, c'était donc un *double* éloignement : d'abord écrire, ensuite en français (ou plutôt l'inverse : d'abord en français, ensuite écrire). En d'autres termes, j'avais besoin de rendre mes pensées *deux fois* étranges, pour être sûre de ne pas retomber dans l'immédiateté, dans l'expérience brute sur laquelle je n'avais aucune prise. Au début, j'écrivais avec l'impression d'une impunité totale, comme si le fait d'employer une autre langue, en rendant mes textes illisibles à ma famille, me mettait hors d'atteinte. Maintenant je sais que cette impression était illusoire (ne serait-ce que parce qu'il existe d'excellents dictionnaires bilingues), mais aussi nécessaire — du moins pour commencer.

Mais qui sait ? Peut-être qu'un jour j'admettrai que le sortilège de la langue française est aussi fantomatique que celui de l'exil, et que le seul écart indispensable est celui du geste littéraire lui-même? A ce moment-là, *anything can happen*, non?

Je te laisse. Je suis épuisée, et apaisée.

NANCY.

P.-S. A l'aéroport de Montréal, j'ai acheté un briquet avec la feuille d'érable rouge du drapeau canadien. Je trouve que c'est beau.

TABLE ANALYTIQUE

George Sand, *Indiana* – le couple iranien et sa servante.

baptême – première et dernière confession – perte de la foi – préparation au départ.

Le Liban – la non-assimilation – les enfants de l'immigration – Renée la passionnée de Dieu – «Institutrices, guerrières, putains» – des femmes nomades – Jeanne d'Arc – la salle de classe à Tlemcen – Jeanne bergère et Jeanne guerrière – Jeanne aux fers de Dreyer – *La Liberté guidant le peuple* – *La Marianne* et *La Sabine* – la Kāhina – les femmes dans la maison – faire le ménage, écrire des livres – Isabelle Eberhardt – le travestissement – l'écriture – le pseudonymat.

New York – grouillement et névrose – le Canada lointain – décalages en tout genre – le passage cocasse du temps-chansons de l'enfance – odeurs et goûts canadiens – souvenirs d'enfance – *nigger-babies* – le racisme des enfants – Jeanne d'Arc, une femme contre les femmes – la Marianne, une femme idée – George Sand et Penthésilée – les héroïnes écrivains – la violence sublimée – l'absence d'histoire sanglante – le français comme «cadre» – l'analphabétisme.

La routine assassine – retour en Algérie avec une fille imaginaire – la maison d'école – la lessive – lectures enfantines – fermer à clé les portes de l'école – le jardin agricole – le foyer devenu exil – signes obsessionnels de la petite fille – retour à Alger avec Shérazade.

l'anglais impérialiste et culpabilisant – esquives – *Hadrien*, *Métamorphoses* – voyages imaginaires en Grèce – *Le Troisième Anneau* – l'importance de l'ordinaire.

Poucette et la vieille taupe mâle – avoir une petite fille – un fils reste l'Autre – les enfants comme terre – le nom de Léa – les chameaux cadeaux – femmes écrivains sans enfants – la maison source d'écriture – Gertrude Stein, Virginia Woolf – le féminin conventionnel ou révolutionnaire – l'écriture comme protection contre l'exil – la fiction comme suture – pont entre deux rives.

Enfants et écriture – manifestation du 1er Mai 76 – maternité et travail – volontarisme et activisme – la femme interrompue – le mythe du roi Midas – le nom de Léa – le judaïsme – le dimanche vivant – les *goyische nachim* – la *Diaspora* rassurante – essais *vs* fictions – le roman réalisé.

Brasseries cossues et bars minables – les maquereaux interloqués – la Goutte-d'Or – Amerloques et métèques – voyage imaginaire aux U.S.A. – entendre des langues sans les parler – la connaissance de l'arabe – la femme professeur à Blida – apprendre l'arabe, faire une psychanalyse – les sandwichs tunisiens – le père malade – homme de patience et de silence – écrire sur du silence – la peur du tarissement – GLAS – le cimetière marin – le paysage français – le résistant algérien – la collection de chameaux – la mort de Foucault.

5394

Achevé d'imprimer en Slovaquie
par NOVOPRINT SLK
le 4 mars 2014.

1er dépôt légal dans la collection : octobre 1999
EAN 9782290053942

ÉDITIONS J'AI LU
87, quai Panhard-et-Levassor, 75013 Paris

Diffusion France et étranger : Flammarion